Le Louvre

La description du Louvre a été établie à partir du Guide Bleu **Paris.**

Avec la collaboration de : Daniel Alcouffe, *conservateur en chef au département des Objets d'art;* Pierre Amiet, *conservateur en chef au département des Antiquités orientales;* Roseline Bacou, *conservatrice en chef au département des Arts graphiques;* Patrick Dupont, *conservateur au département des Objets d'art;* Jean-René Gaborit, *conservateur en chef au département des Sculptures;* Florence Maruejol, *docteur de 3e cycle en égyptologie;* Marie Montembault, *conservateur au département des Antiquités grecques, étrusques et romaines;* Guilhem Scherf, *conservateur au département des Sculptures;* Dominique Vila, *documentaliste au département des Peintures.*

ÉDITION
François Monmarché
Catherine Eyquem

FABRICATION
Gérard Piassale
Françoise Jolivot

DOCUMENTATION
Florence Guibert

CARTOGRAPHIE
René Pineau
Alain Mirande

MAQUETTE
CALLIGRAM (couverture)
Alix Colmant (maquette intérieure)

Crédit photos
Explorer/Archives : p. 11 ; A. Wolf : pp. 6, 18-19, 27, 31, 34, 39. R.M.N/M. Chuzeville : p. 43. R.M.N : 51, 59, 83, 86-87, 90-91, 95, 103, 111, 119, 122, 127, 134-135, 143, 147, 150-151, 166-167, 171, 179.

Couverture : Explorer, A. Wolf. Établissement Public du Grand Louvre, architecte : Ieoh Ming Pei.

Le Louvre

GUIDES BLEUS

SYMBOLES ET ABRÉVIATIONS

CURIOSITÉS TOURISTIQUES

★ intéressant
★★ remarquable
★★★ exceptionnel

RENSEIGNEMENTS PRATIQUES

⊠ code postal
ℹ office de tourisme
SNCF gare
gare routière
aéroport

Hôtels Restaurants

★ simple
★★ simple mais confortable
★★★ très confortable
★★★★ établissement de grande classe
★★★★L établissement de luxe

♡ adresses « coup de cœur » de la rédaction

Équipement-agrément
ch. chambre
Tx télex
f. fermé
P parking
vue
parc ou jardin
calme
réduction d'au moins 20 % offerte aux enfants de 5 ans et plus
accessible aux handicapés
interdit aux animaux
fond musical
piscine
tennis
golf

Les prix

Hôtels : prix moyen d'une chambre avec bain pour deux personnes, sans petit déjeuner.

Restaurants : le premier prix correspond au menu le moins cher; le second indique le prix moyen d'un repas à la carte.

Ces restaurants sont classés en fonction des « coups de cœur » de la rédaction.

Cartes de crédit

Principales cartes acceptées par l'établissement :

AE American Express
DC Diners Club
Euro Eurocard
Visa Visa

CARTOGRAPHIE

SOMMAIRE

Le palais du Louvre

Métro : Louvre-Rivoli, Palais-Royal Musée du Louvre
Bus : 21, 24, 27, 69, 72, 74, 81
🅿 *place du Louvre*
Taxis : place André-Malraux, métro Palais-Royal
Musée du Louvre ☎ 42.60.61.40

C'est un des plus beaux palais du monde et le plus vaste des édifices parisiens. À l'E., les bâtiments du Vieux Louvre entourent la Cour Carrée. Vers l'O., les constructions du Nouveau Louvre encadrent le square du Carrousel et deux longues galeries les relient aux pavillons de Flore et de Marsan, entre lesquels s'étendait jadis le palais des Tuileries, incendié en 1871.

Durant trois siècles, les efforts des rois de France et des deux empereurs avaient tendu à parachever la jonction entre les deux palais, laquelle ne fut réalisée que sous le Second Empire et pour quelques années seulement. La très importante campagne de travaux qui a conduit à la construction de la fameuse pyramide renoue donc avec une longue tradition. Le XXe s., comme les précédents, aura apporté sa pierre au palais dont l'histoire s'est presque toujours confondue avec celle du pays.

LE LOUVRE DANS L'HISTOIRE

Le Moyen Âge

Au moment de partir pour la croisade, Philippe Auguste, voulant protéger les quartiers de Paris établis sur la rive droite, fit construire (1190-1202) une muraille qui aboutissait à la Seine près de Saint-Germain-l'Auxerrois et qui était défendue en cet endroit par un château. Le lieu était déjà nommé le Louvre. On ignore l'origine de ce mot. Rappelait-il une ancienne léproserie, un chenil pour la chasse aux loups *(lupara)*, une forteresse en langue franque *(lower)*. Le château de Philippe Auguste, dont les murs extérieurs furent

La construction de la pyramide renoue avec une longue tradition de grands travaux.

retrouvés lors des fouilles de 1863 au S.-O. de la Cour Carrée, avait la forme approximative d'un carré. Des tours se dressaient aux angles des courtines et au centre des côtés N. et O., des portes s'ouvraient au centre des côtés E. et S., des bâtiments s'élevaient contre les courtines à l'O. et au S. Une salle voûtée, aux colonnes ornées de tailloirs polygonaux et de chapiteaux à crochets, a été découverte en 1866 sous la salle des Caryatides. Au milieu de la cour, un énorme donjon était tout à la fois la prison, le trésor et le symbole des droits royaux. C'est là que fut enfermé Ferrand, comte de Flandre, après la bataille de Bouvines. Une lice ou châtelet défendait le Louvre du côté de la Seine. Les fondations de ce Louvre médiéval, les fossés du château et le socle du donjon sont aujourd'hui ouverts à la visite.

Ce château attira la population, et un quartier nouveau s'établit entre le Louvre et les fabriques de tuiles situées plus à l'O. Lorsque Étienne Marcel se révolta contre le dauphin Charles en 1538, il fit construire une nouvelle muraille qui, longeant la Seine, se dirigeait ensuite à angle droit à travers le Carrousel actuel. Charles, revenu à Paris, fit achever la muraille (1383). Le Louvre cessait d'être une simple forteresse ; il allait devenir un château de plaisance. Charles V le fit surhausser, percer de fenêtres, orner de statues; il construisit des ailes à l'E. et au N. et chargea Raymond du Temple d'y élever, vers 1365, la « grand-vis » (escalier). Il installa sa librairie dans la cour du N.-O., accumula dans le Louvre les œuvres d'art et aménagea au N. un jardin avec des portiques et des pavillons de bois.

Puis ce furent les guerres civiles, l'invasion anglaise; le duc de Bedford s'empara de la librairie royale. Le Louvre fut, au XVe s., abandonné par les rois de France, qui résidèrent sur les bords de la Loire.

François Ier et Henri II : le Louvre de Pierre Lescot

En 1527, François Ier signifiait aux échevins de Paris sa volonté de s'installer au Louvre et s'empressait d'abattre le vieux donjon, de supprimer l'entrée du S., de raser les tours du bord de l'eau et de transformer la lice en une place pour les tournois. Des communs étaient construits à l'O. du Louvre. Lorsque, en 1533, le roi reçut Charles Quint, il fit décorer le château suivant le goût nouveau. Habitué à ses belles résidences du Valois ou de Touraine, François Ier désirait embellir le Louvre qu'il trouvait sombre et inconfortable; le 2 août 1546, il chargeait de ce soin Pierre Lescot. Celui-ci élevait sur l'ancienne aile de l'O. un corps d'hôtel, avec escalier central, sur les ailes du N. et du S. des portiques, à l'E. un grand portail; mais à peine les bâtiments étaient-ils commencés que François Ier mourait.

Henri II, le 10 juillet 1549, ordonnait à Pierre Lescot de modifier son plan : c'était le Grand Dessein. Alors que François Ier avait eu l'intention de construire un palais de la même superficie que celui de Charles V, Henri II avait résolu de faire quadrupler la Cour Carrée, d'où la nécessité pour Pierre Lescot de transférer l'escalier dans un avant-corps situé au N. de l'aile O. Dans le même temps, il élevait aux quatre côtés des ailes semblables. L'aile occidentale et la partie voisine de l'aile méridionale furent seules achevées à cette époque et décorées par Jean Goujon. Cet artiste exécuta en 1550 la salle des Caryatides, au-dessus de laquelle s'étendaient la salle des Gardes (salle La Caze) et l'antichambre du roi (salle Henri-II). Les appartements du roi se trouvaient dans le pavillon du S.-O. (partie de la salle des Sept-Cheminées). L'aile S. fut achevée et décorée en 1561-1564.

Catherine de Médicis et Henri IV : la galerie du Bord de l'Eau et la galerie d'Apollon

Catherine de Médicis, qui venait, en 1563, de faire tracer le plan des Tuileries par Philibert de l'Orme, décida d'unir ce palais au Louvre et projeta de bâtir une longue galerie sur le bord de la Seine. Elle commença les travaux par l'E. et jeta en 1566 les fondements de la Petite Galerie (galerie d'Apollon). Les malheurs des temps empêchèrent de mener cet ensemble à sa perfection. Le Louvre était alors le théâtre d'événements tragiques. S'il n'est pas sûr que, durant la nuit de la Saint-Barthélemy, Charles IX ait tiré sur les huguenots des fenêtres du Louvre, du moins le palais fut-il ensanglanté par ces massacres. Il fut ensuite troublé par la rivalité d'Henri III et de l'héritier de la couronne, son frère, le duc d'Alençon. Les barricades qui se dressèrent devant le Louvre effrayèrent Henri III, qui s'enfuit hors de Paris. Durant la Ligue, Mayenne fit pendre aux poutres de la salle des Caryatides — qui ne sera voûtée que sous Louis XIII — plusieurs des Seize, coupables d'avoir fait exécuter le président Brisson.

En 1594, Henri IV entre à Paris et ordonne aussitôt de reprendre les travaux du Louvre. Il fait achever (1604) la Petite Galerie, dont le premier étage, richement décoré, devient la galerie des Rois, et construire la Grande Galerie (1595-1597), peut-être par Métezeau et Jacques II Androuet Du Cerceau. En 1608, cet ensemble était achevé. Le roi avait rêvé de réaliser le Grand Dessein d'Henri II, mais, le 14 mai 1610, après l'attentat de Ravaillac, il était rapporté mourant au Louvre.

Le XVIIe siècle et le règne de Louis XIV

Pendant la régence de Marie de Médicis, seuls les appartements de la reine mère, situés au rez-de-chaussée de la Cour Carrée, furent décorés. C'est en 1624 que les travaux du Louvre reprirent. Jacques Le Mercier, qui respecta le plan original de Lescot, bâtit le pavillon de l'Horloge dans l'axe du pavillon des Tuileries et la partie N. de l'aile Pierre-Lescot. En 1641, Poussin était chargé de décorer la Grande Galerie, mais il regagnait bientôt Rome (1642). Une nouvelle minorité et la Fronde arrêtèrent une fois de plus cette grande entreprise. Le 21 octobre 1652, Louis XIV rentrait à Paris et y convoquait le parlement. La cour s'installait au Louvre. Anne d'Autriche fit aménager par Le Mercier son appartement d'hiver à la place de l'appartement de Marie de Médicis. Cet appartement des Bains, comme on l'appelait aussi, émerveilla les contemporains. En 1654, face au collège des Quatre-Nations qu'il venait de créer, Le Vau, reprenant l'œuvre de Lescot et de Le Mercier, divisa le rez-de-chaussée de la Petite Galerie, qui devint l'appartement d'été d'Anne d'Autriche ; Romanelli y peignit les plafonds, Michel Anguier y modela des stucs qui existent encore. À la même époque, Le Vau élargissait le passage entre le pavillon du Roi et la Petite

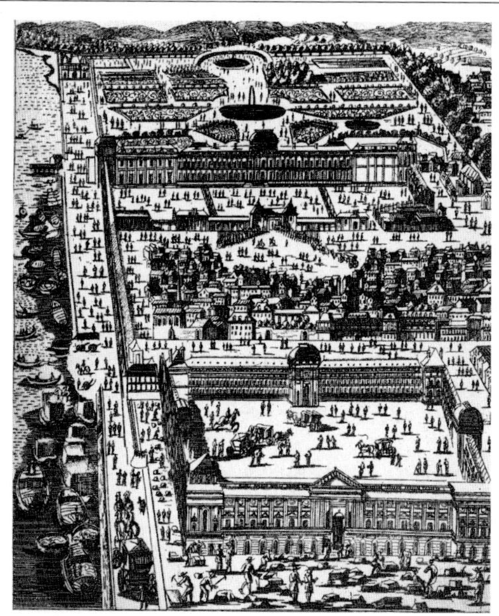

Forteresse à l'origine, le Louvre devint au fil des règnes un château de plaisance.

Galerie pour y installer le cabinet du Roi ; il aménageait au deuxième étage du pavillon du Roi et de l'aile Lescot les appartements de Mazarin, au premier étage du pavillon de l'Horloge la chapelle et, au-dessus de l'appartement d'hiver, les appartements de la jeune reine Marie-Thérèse (galerie Charles-X). C'est dans toutes ces pièces que furent dansés les ballets de Benserade, que Louis XIV s'éprit de Marie Mancini et de Louise de La Vallière, qu'il reçut les ambassadeurs. Le 24 octobre 1658, sur un théâtre dressé devant les Caryatides, Molière jouait pour la première fois devant la cour.

Après la paix des Pyrénées, en 1659, Mazarin consacra des crédits importants aux travaux du Louvre. Le Vau continua l'aile S. et reprit l'aile N., dont Le Mercier avait seulement jeté les fondations. Mais, le 6 février 1661, un incendie dévastait la galerie des Rois. Le Vau doubla cette galerie pour agrandir l'appartement d'été de la reine mère, établit au rez-de-chaussée des salles pour les antiques du roi, au premier une bibliothèque et des cabinets de tableaux. Le Brun et toute une équipe de peintres et de sculpteurs décorèrent la galerie d'Apollon (1661-1680).

En 1664, Colbert, nommé surintendant des bâtiments, demanda des plans d'achèvement aux plus illustres architectes de France et d'Italie; il fit même venir de Rome le Bernin, dont les projets se révélèrent contraires aux impératifs du climat et aux mœurs de la France. Une commission composée de Le Vau, Le Brun et Claude Perrault, médecin, amateur d'architecture et frère du premier commis de Colbert, mieux connu comme auteur des célèbres contes pour enfants, élabora les dessins pour la façade septentrionale et pour la façade orientale. Les hésitations de Colbert, les guerres, ralentirent les travaux; la volonté du roi, qui, en 1678-1680, transporta à Versailles la cour et les services, les arrêta. Le Louvre fut livré aux Académies, aux artistes, d'où qu'ils fussent, aux privilégiés qui, durant tout le XVIIIe s., s'y comportèrent comme en pays conquis. Cependant, cela avait toujours été l'idée d'Henri IV, généreux et intelligent, que le Louvre fût le palais des rois et des artistes (→ encadré).

De Louis XV à la Restauration

Sous Louis XV, au milieu du XVIIIe s., le marquis de Marigny songea à terminer le Louvre pour y installer le Grand Conseil et la bibliothèque du Roi. Gabriel et Soufflot restaurèrent la colonnade et démolirent les baraques qui encombraient la Cour Carrée. Les difficultés financières empêchèrent l'aboutissement de cette entreprise.

Le marquis de Marigny rêvait aussi d'installer un muséum dans la Grande Galerie, projet repris sous Louis XVI. La République et l'Empire le réalisèrent. Pour exposer les œuvres appartenant à la nation ou cédées à la France par les traités, Raymond aménagea le musée Napoléon dans les anciens appartements de la reine mère; Percier et Fontaine présentèrent des plans et commencèrent la grande galerie du N., qui fut poussée du pavillon de Marsan au pavillon de Rohan (1806-1816). Les artistes, l'Institut, furent expulsés du Louvre. La Cour Carrée fut enfin terminée. On respecta, à l'O., les toits à la française de Lescot; on éleva sur les trois autres côtés un second étage suivant le dessin adopté sous Louis XIV. La colonnade fut décorée.

Sous Louis XVIII et Charles X, les sculptures de la Cour Carrée furent mises en place. Pour montrer les antiquités égyptiennes et grecques nouvellement acquises, Charles X fit installer par Fontaine l'ancien appartement de Marie-Thérèse, qui devint le musée Charles-X. Le pavillon du Roi, jadis agrandi par Perrault, forma une vaste salle, dite des Sept-Cheminées.

Le Louvre de Napoléon III

Sous la IIe République, Duban restaura le Salon carré et la galerie d'Apollon, et Napoléon III acheva le Louvre. Visconti, puis Lefuel, construisirent, de 1852 à 1857, les bâtiments qui se trouvent au N. et au S. de la place dite cour Napoléon. Les bâtiments du S. étaient consacrés aux arts ; ceux du N. abritaient le ministère de la Maison de l'Empereur, la bibliothèque du Louvre et l'administration des télégraphes. De 1863 à 1868, Lefuel modifia la partie occidentale de la grande galerie du Bord de l'Eau, bâtit le pavillon destiné à la salle des États et ouvrit les guichets pour faciliter la circulation.

La Commune brûla une partie des bâtiments de la rue de Rivoli, qui furent aussitôt restaurés par Lefuel et affectés au ministère des Finances. Le musée du Louvre envahit toute la Cour Carrée et la partie méridionale du Nouveau Louvre, à l'exception du pavillon de Flore et des travées voisines de la Grande Galerie, qui devinrent le ministère des Colonies, puis une annexe du ministère des Finances. Ces locaux, indispensables à l'extension du musée, furent, après la grande restauration des années soixante, totalement affectés au musée.

Le Grand Louvre

À l'automne 1981, la décision fut prise de donner au musée du Louvre l'aile actuellement occupée par le ministère des Finances entre la cour Napoléon et la rue de Rivoli. En effet, le musée manquait cruellement d'espaces de travail et d'accueil du public. Ceux-ci constituaient cinq pour cent seulement de sa superficie quand, dans la plupart des grands musées du monde, les surfaces de services et d'expositions sont réparties à peu près également. Mais la simple utilisation des espaces libérés par le ministère des Finances ne suffisait pas à résoudre ce problème. En juillet 1983, l'architecte Ieoh Ming Pei fut chargé de la conception du projet. La solution proposée fut donc d'inventer des espaces neufs dans le sous-sol de la cour Napoléon, ce qui permettait aussi de transformer un musée-couloir de 800 m de long en un ensemble compact autour d'un point central. De l'entrée principale, marquée par la pyramide, trois accès sont désormais possibles vers le palais, dans l'ensemble duquel les collections du musée seront peu à peu redéployées jusqu'en 1993. Les départements des Antiquités orientales, égyptiennes, grecques et romaines seront étendus. Les sculptures, actuellement dans l'aile de Flore, seront réparties entre les ailes S. et N. de la cour Napoléon. La grande statuaire d'extérieur prendra place dans les cours des Finances couvertes de verrières et visibles du passage Richelieu. Le département des Peintures s'étendra au deuxième étage de l'aile des Finances et de la Cour Carrée, afin de bénéficier d'un éclairage zénithal. L'espace d'accueil de la cour Napoléon, inauguré en 1989, est déjà doté de toute l'infrastructure nécessaire à l'information du public et à l'accueil des groupes, ainsi que de salles d'expositions temporaires, d'un auditorium et d'un restaurant. Vers l'O., une galerie commerçante mènera au parking sous le Carrousel.

Le choix de la pyramide s'explique d'une part par la proximité de la Seine; on ne pouvait creuser au-delà de 8 m, ce qui représente une faible profondeur pour un espace aussi vaste, et la pyramide de verre contribue à donner de la lumière et du volume à un espace qui, sans elle, dégagerait une impression d'écrasement. D'autre part, l'entrée principale devait être facilement repérable pour le visiteur. C'est donc cette double exigence qui a conduit au choix architectural de la pyramide. Entourée de bassins et de trois pyramidions éclairant les passages en direction des pavillons du Louvre, cette pyramide de verre, pur objet architectural à la forme géométrique simple, légère et transparente, concilie l'histoire et la modernité sans défigurer le site.

LA VISITE EXTÉRIEURE

45 mn

Pour la clarté de la description, on peut diviser le Louvre actuel en trois parties principales : le Vieux Louvre, c'est-à-dire les bâtiments qui entourent la Cour Carrée, la Petite Galerie et la Grande Galerie du Bord de l'Eau ; le Nouveau Louvre de Napoléon III, de part et d'autre du square du Carrousel ; la galerie Nord, depuis le pavillon de Rohan, et les deux anciens pavillons des Tuileries.

LE VIEUX LOUVRE

*La colonnade***

La façade principale du palais est la façade orientale, longue de 175 m, qui domine la place du Louvre ; c'est la célèbre colonnade dont la paternité reste discutée, en prolongement de la querelle qui, au XVIIe s., opposa Boileau aux frères Perrault. Un premier projet de *Le Vau,* qui comportait un pavillon central et deux pavillons d'angle à dôme, reçut un commencement d'exécution à partir de 1661, mais fut abandonné dès 1664. En octobre 1665, on jeta de nouvelles fondations d'après les plans du *Bernin,* mais on renonça très vite aux dessins de l'architecte italien. En 1667, un second projet de *Le Vau* était accepté par Louis XIV. Mais, dès 1668, la décision de doubler l'aile méridionale (côté Seine) imposa d'allonger la colonnade aux deux extrémités ; c'est ce qui explique le décrochement de cette façade par rapport à la façade N. (côté rue de Rivoli). Le Vau étant alors occupé à Versailles, il semble que la double influence de son collaborateur *François d'Orbay* et de *Claude Perrault* fut alors prépondérante ; depuis longtemps, ce dernier avait préconisé l'abandon des pavillons surélevés pour donner à la colonnade la plus grande ampleur possible et assurer l'harmonie de son ordonnance horizontale. Perrault voulait couronner la balustrade de statues ; il avait substitué des niches aux fenêtres du projet antérieur, qui furent rouvertes sous le Premier Empire. Les travaux de la colonnade furent interrompus en 1678. Il fallut restaurer cette façade en 1756-1757. Le *fronton* est l'œuvre de *Lemot* qui, en 1808, sculpta Minerve entourée des Muses et de la Victoire couronnant le buste de Napoléon Ier (remplacé sous la Restauration par celui de Louis XIV).

La *place* devant la colonnade fut dégagée au milieu du XVIIIe s. Enfin, sous l'impulsion d'André Malraux, les *fossés,* prévus mais non réalisés au XVIIe s., ont été creusés de 1964 à 1967, au pied de la colonnade, pour en

---

Loger au Louvre

Il est un autre aspect du Louvre que l'on n'aurait garde d'oublier : c'est d'avoir été au cours des siècles la résidence des artistes. Henri IV, en faisant édifier la galerie du Bord de l'Eau, eut le premier l'idée de réserver le rez-de-chaussée de cette galerie aux logements des artistes qui travaillaient pour la couronne. Loger au Louvre représentait pour un artiste une sorte de consécration officielle, mais aussi des avantages matériels appréciables, puisque le roi prenait à sa charge l'aménagement et l'entretien des appartements; aussi étaient-ils très recherchés.

Ils furent occupés par les peintres Jacob Bunel et Marin Bourgeois, les sculpteurs Pierre de Francheville et Guillaume Dupré, les tapissiers Maurice Dubois, Girard Laurent et Pierre Dupont (qui inventa la technique mise en œuvre à la Savonnerie); sous Louis XIII, par les peintres Simon Vouet, Daniel Dumoustier et Tortebat, le sculpteur Louis Lerambert et le graveur Michel Lasne; sous Louis XIV, par les peintres Charles Errard, Jacques Stella, les Coypel, Blin de Fontenay, les graveurs Claude Mellan et Sylvestre, les sculpteurs Le Hongre, Coysevox et Girardon, les ébénistes A.C. Boulle et Oppenordt, des imprimeurs, des orfèvres, des tapissiers en grand nombre; au XVIIIe s., par les peintres Boucher, Desportes, Chardin, Restout, Greuze, Fragonard, ainsi que les sculpteurs Le Moyne, Pigalle, des orfèvres et des tapissiers. On notera au passage que le peintre suédois Alexander Roslin eut également cet avantage. Le peintre J.L. David eut plusieurs ateliers, l'architecte Gabriel s'installa dans l'Orangerie et Guillaume Coustou dans un petit logement de la Cour Carrée. Lorsque Napoléon entra au Louvre en 1806, il supprima les logements réservés aux artistes, qui s'installèrent pendant un temps dans les locaux désaffectés de la Sorbonne.

C'est aussi au Louvre que siégeait l'Académie royale de peinture et de sculpture, et certaines salles étaient réservées aux morceaux de réception des académiciens et aux œuvres offertes par les artistes à l'Académie.

---

dégager le soubassement monumental et lui restituer ses véritables proportions. Ces fossés, larges de 25 m et profonds de 7,50 m, se prolongent en retour d'équerre aux deux extrémités, de manière à dégager les pavillons d'angle. Le mur de contrescarpe est couronné d'une balustrade de pierre. Au centre de la façade, une avancée en demi-lune et un *pont* dormant de 5 m de portée et 8 m de large donnent accès à l'entrée principale du palais. Ce pont a été réalisé d'après des dessins du XVIIe s. avec les pierres du soubassement de la première façade de Le Vau, commencée en 1661 et abandonnée en 1664.

*La Cour Carrée****

Franchissant le pont et l'entrée principale, on se trouve au cœur du Vieux Louvre (112,50 m de côté).

L'aile O. C'est la plus ancienne ; elle se divise en trois parties. La *partie méridionale*** (*à g. du pavillon de l'Horloge*) est l'œuvre de *Pierre Lescot,* de *Jean Goujon* et de son équipe, exécutée sous François Ier et sous Henri II. C'est un des chefs-d'œuvre de la Renaissance française. Au-dessus d'un rez-de-chaussée d'ordre corinthien aux grandes arcades en plein cintre, s'élève un étage principal d'ordre composite et enfin un attique à la base d'un toit assez aigu, aux combles cernés de plombs. La façade est coupée de trois avant-corps aux frontons curvilignes ; au-dessus de la porte, les œils-de-bœuf sont encadrés de *figures allégoriques* par *Jean Goujon* et surmontés d'une plaque de marbre noir portant une inscription commémorative (avant 1550). L'*ornementation* des trois frontons surtout est splendide : le premier, à g., renferme les figures de Cérès, de Neptune et de l'Abondance, un faune et un Pan, avec au-dessous la devise d'Henri II, « Donec totum impleat orbem » ; le deuxième, au centre, symbolise la guerre, avec Mars, Bellone, deux victoires et des captifs ; le troisième, à dr., est consacré à la Science accompagnée d'Archimède, d'Euclide et de génies. Le *pavillon de l'Horloge* ou *de Sully* a été exécuté par *Le Mercier* en 1624 ; les caryatides ont été sculptées par *Guérin, Buyster* et *Poissant* sur les modèles de *Sarrazin.* La *partie septentrionale* (*à dr. du pavillon de l'Horloge*), par *Le Mercier* (1624), fut décorée seulement après 1820, à l'exception d'un œil-de-bœuf sculpté par *Van Obstal* au XVIIe s.

L'aile S. a été commencée à l'O. (à dr.) par *Lescot,* qui exécuta la première travée ; elle fut construite jusqu'au pavillon central sous Charles IX et Henri III (voir les monogrammes R et H dans les entrecolonnements), mais déco-

Les « hommes illustres » du portique corinthien semblent contempler l'œuvre de Pei.

rée en cette dernière partie seulement sous Henri IV. Le pavillon central et la partie orientale sont dus à *Le Vau.*

L'aile N., commencée par *Le Mercier,* fut continuée à partir de 1660 par *Le Vau,* si bien qu'ayant également exécuté, comme on vient de le dire, le pavillon central, l'aile E. et la moitié de l'aile S., cet architecte a édifié à lui seul, de 1660 à 1664, la majeure partie de la Cour Carrée ; mais il respecta l'ordonnance conçue par Lescot.

Les *frontons* des trois pavillons sont de dates différentes : à l'E., *Guillaume Coustou* sculpta en 1758 des génies soutenant les armes royales, remplacés sous la Révolution par un coq entouré d'un serpent ; au N., *Claude Ramey* représenta en 1811 le Génie de la France sous les traits de Napoléon évoquant Minerve, Mercure et les divinités de la Paix et de la Législation, pour qu'elles succèdent à Mars et à l'appareil guerrier que la Victoire a rendu inutile ; au S., *J.-P. Sueur* sculpta la même année Minerve accompagnée des Sciences et des Arts.

Chaque année, dans la Cour Carrée, se déroule le *festival du Louvre* (fin juin-fin août).

▸ La *façade extérieure N.* du quadrilatère, sur la rue de Rivoli, très sobre, a été commencée à l'O. (pavillon de Beauvais) par *Le Mercier* et achevée par *Le Vau* et *Claude Perrault.*

Les façades méridionales côté Seine

Ces façades méridionales du Vieux Louvre comprennent la façade extérieure de l'aile S. de la Cour Carrée, la Petite Galerie et la Grande Galerie.

La *façade S.* du quadrilatère a été élevée par *Perrault* en 1668, devant la façade construite

par *Le Vau* en 1660-1663. L'ordonnance continue celle de la colonnade, mais sans galerie à l'étage, où les doubles colonnes sont remplacées par de simples pilastres d'ordre corinthien encadrant les fenêtres. Ici s'étendent les jardins de l'Infante. À l'extrémité O. de cette façade s'élève l'*ancien pavillon du Roi;* il est relié à la Petite Galerie par une sorte de pont à galerie, que *Le Vau* agrandit et auquel il donna son aspect actuel, en 1655.

La *Petite Galerie,* en retour d'équerre, fut commencée par Catherine de Médicis en 1566 et continuée par Henri IV de 1594 à 1608. Les sculptures de ***Barthélemy Prieur*** datent du règne d'Henri IV. Après l'incendie de 1661, *Le Vau* avait modifié la façade du premier étage qui abrite la galerie d'Apollon ; ***Duban*** l'a restituée en son état primitif en 1849, d'après la gravure de ***Marot.***

La *Grande Galerie* se divise en plusieurs parties. Le *pavillon du Salon carré,* construit par Henri IV, qui fit aménager au rez-de-chaussée la salle des Ambassadeurs, toute décorée de marbres, fut surélevé par *Le Vau,* lorsqu'il installa le Salon carré. C'est dans le pavillon du Salon carré que se tenait annuellement l'exposition des peintures qui étaient présentées au roi, et qui prit bientôt le nom de Salon. La *partie orientale* de la galerie, bâtie de 1594 à 1608, peut-être par ***Métezau,*** comprend un rez-de-chaussée à bossage vermiculé, flanqué de pilastres toscans, un entresol (la mezzanine) et un étage de larges fenêtres encadrées de niches. Toute la décoration sculpturale a été reprise en 1850. Au centre se trouve la *porte Barbet-de-Jouy.* Le rez-de-chaussée et l'entresol de cette galerie furent habités de 1608 à 1806 par les artistes à qui le roi concédait

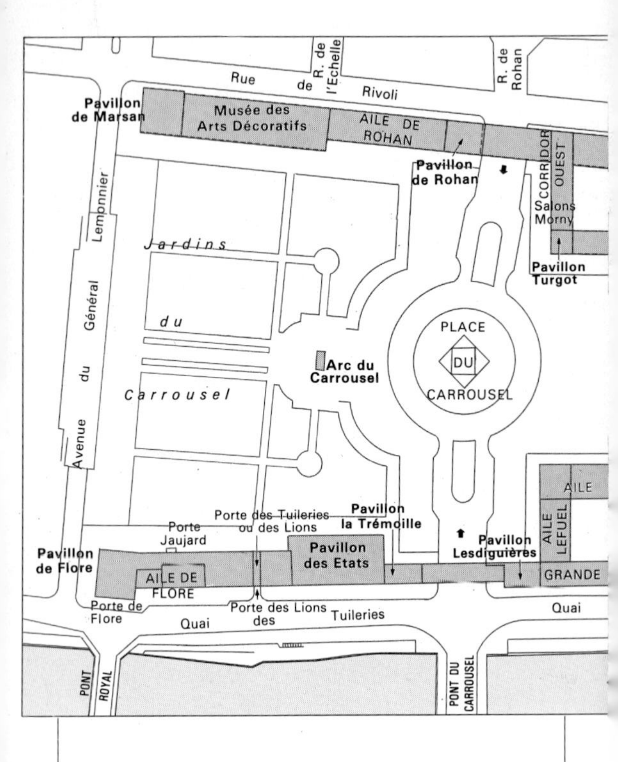

des logements. Suit un pavillon qui répète le pavillon du Salon carré et qui est actuellement occupé par la Direction des musées de France. Le *pavillon Lesdiguières,* bâti sous Henri IV, marquait l'emplacement où l'ancien mur de Charles V tournait à angle droit vers le N.; c'est près de ce pavillon que se trouvaient la tour de Bois, datant de Charles V, et la Porte Neuve, ouverte sous François Ier et démolie sous Louis XIV. Les *guichets du Carrousel* ont été élevés par *Lefuel* (milieu du XIXe s.); au *fronton,* le Génie des Arts, haut-relief en bronze sur fond d'or, par *Mercié,* a remplacé la statue équestre de Napoléon III par *Barye,* à qui sont dues les deux figures latérales. Le *pavillon La Trémoille,* semblable au pavillon Lesdiguières, est une œuvre de *Lefuel.* La *partie occidentale* de la Grande Galerie fut bâtie de 1594 à 1608, sans doute par *Jacques II Androuet Du Cerceau.* Cette galerie était décorée d'un ordre colossal, que *Percier* et *Fontaine* ont copié de l'autre côté du Carrousel, sur la façade S. de la galerie N., mais que *Lefuel* a détruit en 1863, pour le remplacer par une composition analogue à celle de la partie orientale de la Grande Galerie. Au centre s'ouvre la *porte des Lions,* ainsi appelée à cause des lions sculptés par *Barye.*

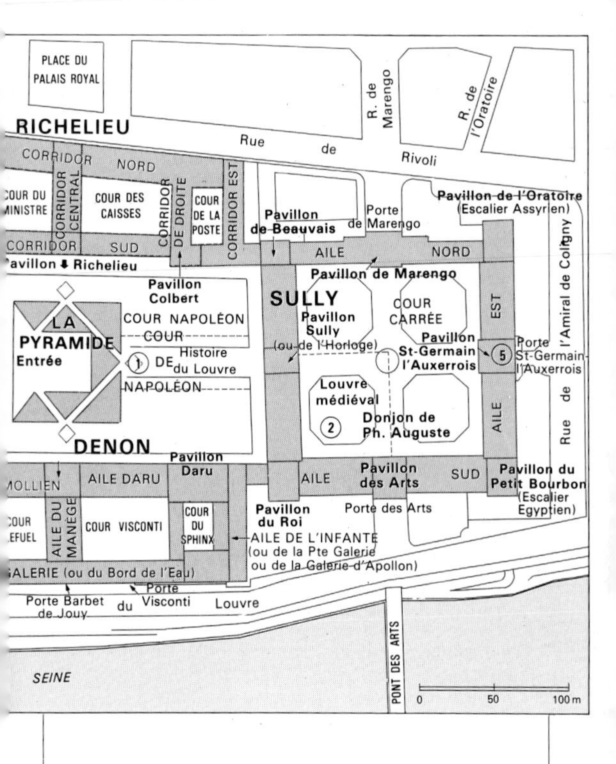

La Grande Galerie aboutit à l'O. au pavillon de Flore, qui appartenait aux Tuileries. Si l'on passe les guichets, en face du pont du Carrousel, on voit à g. le grand pavillon bâti de 1863 à 1868 par *Lefuel*, contre la façade N. de la Grande Galerie, pour abriter une nouvelle *salle des États* et les *écuries de l'Empereur*.

LE NOUVEAU LOUVRE

Les bâtiments du Nouveau Louvre, élevés de 1852 à 1857 par *Lefuel* sur les plans de *Visconti*, s'étendent à l'O. du Vieux Louvre, de part et d'autre de la cour Napoléon et du square du Carrousel.

Ils sont réunis à l'E. par l'*aile occidentale de la Cour Carrée*, de *Lescot* et *Le Mercier*, dont le rez-de-chaussée a été remanié de ce côté, de même que celui du *pavillon de Sully*, au centre, pour s'harmoniser avec l'ensemble des nouvelles façades. ▸ La jonction entre la façade O. du Vieux Louvre et les bâtiments du Nouveau se fait par l'intermédiaire de deux petites constructions semblables, dont le soubassement a été mis aussi à l'ordonnance par *Lefuel* : à dr., c'est la *façade N. des appartements d'Anne d'Autriche* (1652); à g., c'est une *réplique symétrique*, exécutée par *Percier* et *Fontaine*.

Les fouilles de la cour Napoléon

Dans le cadre du projet du Grand Louvre, l'aménagement des sous-sols du musée a permis la mise en œuvre dans la cour Napoléon et dans le jardin du Carrousel de « fouilles archéologiques de sauvetage » de très grande ampleur entre mars 1984 et mars 1986. Elles ont révélé les fondations d'immeubles d'un quartier pris entre le Louvre et les murailles de Charles V et dont le parcellaire était connu par des plans du XVIIe s. Ce quartier eut son heure de gloire au XVIIe s., avant sa déchéance racontée par Balzac dans « La Cousine Bette » et sa destruction lors de la réunion du Louvre aux Tuileries au XIXe s.

Les fouilles ont également révélé l'existence d'une zone rurale ancienne, bien antérieure à l'urbanisation commencée au XIIIe s. D'innombrables objets — bijoux, couteaux, pipes à effigies, céramiques — attestent une intense activité artisanale dans ce quartier. Dans la cour du Carrousel, douze fours de tuiliers ont été découverts et enrichiront l'histoire de l'artisanat entre le XVe et le XVIIe s. On a mis au jour également 5 000 moules en plâtre, moulages de terre cuite, figurines émaillées, ayant servi à Bernard Palissy pour la construction de la grotte des Tuileries au XVIe s.

La pyramide

Le centre de la cour Napoléon est occupé par la pyramide de verre construite en 1988 par *I.M. Pei* pour marquer l'entrée du musée. Haute de 21 m, sur une base de 30 m de côté, cette pyramide, dont le verre optique de Saint-Gobain limite les effets de réflexion, repose sur une *charpente* en aluminium soutenue par une structure en inox. Sous une apparence de simplicité, cette charpente est extrêmement élaborée ; elle dissimule en effet des systèmes de régulation qui contrôlent les phénomènes de condensation de cette gigantesque serre. La base de la pyramide et des pyramidions et les sept bassins triangulaires qui les bordent ont été réalisés en granit noir de Bretagne, qui s'harmonise avec la couleur des toitures du vieux palais. Le *pavage de la cour,* en pierre de Fontainebleau, reprend un projet qui avait été conçu au XIXe s. et qui n'avait jamais été réalisé jusqu'alors. En avant de la pyramide, décentré par rapport à la cour mais exactement dans l'axe de la perspective du jardin des Tuileries, de la Concorde et des Champs-Élysées, se trouve un moulage en plomb de la *statue équestre de Louis XIV,* sculptée par *le Bernin* à la fin du XVIIe s. L'original en marbre est conservé dans les Petites Écuries du château de Versailles.

Les pavillons et les façades de la cour Napoléon

En allant de l'E. à l'O., on trouve : au S., le *pavillon Daru,* le *pavillon Denon* surmonté d'un fronton par *Simard* (ce fronton représente Napoléon III, dont c'est la seule effigie que nous puissions voir à Paris ; deux groupes de *Barye*), où s'ouvre l'entrée principale du musée, et le *pavillon Mollien,* à l'angle ; au N., le *pavillon Colbert,* le *pavillon Richelieu* (deux groupes de *Barye*) et le *pavillon Turgot,* à l'angle.

Entre ces pavillons, les *façades,* en retrait, ont été bordées au rez-de-chaussée, suivant une conception de *Percier* et *Fontaine* reprise par *Visconti,* d'un portique corinthien aux colonnes cannelées. *Lefuel* a dressé des statues sur l'entablement, tout autour du square et sur les façades en retour du côté de la place du Carrousel ; elles représentent 86 hommes illustres.

Chacun des deux systèmes de constructions, au N. et au S., englobe trois *cours intérieures.* Celui du S., qui appartient au musée du Louvre, n'a pas de façade moderne du côté du quai, puisqu'il se raccorde de ce côté à la Grande Galerie. Celui du N., qui était occupé jusqu'en 1989 par le ministère des Finances, offre au contraire sur la rue de Rivoli une façade coupée, au centre, par le *pavillon de la Bibliothèque* qui abritait la bibliothèque du Louvre (incendié en 1871 et restauré). La *décoration intérieure* de ce bâtiment constitue un des plus beaux ensembles décoratifs Napoléon III existant ; il sera restauré et intégré dans le futur circuit de visite du Grand Louvre.

La place du Carrousel

Entre les deux ailes du Nouveau Louvre s'étend la place qui, sous le Second Empire, portait le nom de Napoléon III. Site jadis occupé par les Quinze-Vingts, par des hôtels comme celui de Mme de Rambouillet et de Mme de Chevreuse, par des rues comme la rue Saint-Nicaise, cette place, où fut donné en 1662 le carrousel auquel elle doit son nom, fut débarrassée de ses maisons sous Napoléon Ier et Napoléon III. À la Révolution, la guillotine y fut installée du 22 août 1792 au 10 mai 1793, sauf le 21 janvier pour l'exécution du roi qui eut lieu à la Concorde.

*L'arc de triomphe du Carrousel**

Bâti de 1806 à 1808 par *Percier* et *Fontaine,*

tandis que *Denon* était chargé d'exécuter le décor sculpté pour commémorer les victoires remportées par Napoléon Ier en 1805, c'est une des œuvres les plus représentatives du style impérial. Il servait d'entrée triomphale au palais des Tuileries.

L'édifice, imitation de l'arc de Septime Sévère à Rome (14,60 m de haut, 19,50 m de large et 8,75 m d'épaisseur), est flanqué de huit colonnes corinthiennes en marbre blanc et rouge; il est surmonté de *statues* (intéressantes par leur réalisme) représentant les différents uniformes de la Grande Armée et d'un groupe de bronze qui devait figurer l'Empereur tiré dans un char par les célèbres chevaux enlevés à Saint-Marc de Venise et eux-mêmes conduits par les figures de la Victoire et de la Paix, par *Lemot.* Mais Napoléon s'opposa à ce que l'on mît en place sa statue (on peut la voir à la Malmaison) et le char resta vide. En 1815, les Vénitiens récupérèrent leurs chevaux, qui furent remplacés par des copies, et *Bosio* plaça dans le char une *statue de la Restauration.* Les quatre faces sont ornées de six *bas-reliefs* en marbre, qui évoquent les gloires de l'Empire jusqu'à la paix de Presbourg. La *perspective*** offerte par le jardin des Tuileries, puis la montée de l'avenue des Champs-Élysées et, à l'horizon, l'Arc de Triomphe de l'Étoile, est une des plus grandioses et sans doute la plus imposante de Paris.

LA GALERIE NORD

Entre la rue de Rivoli et les jardins du Carrousel, parallèlement à la Grande Galerie S., s'étend la galerie N., qui reliait le Louvre au palais des Tuileries. Elle comprend aujourd'hui trois parties :

▸ Le *pavillon de Rohan,* à l'E., à la jonction des bâtiments du Nouveau Louvre, fut construit en 1816 par *Percier* et *Fontaine,* et restauré depuis. La façade sur la rue de Rivoli est décorée de huit statues de généraux et de maréchaux : de g. à dr., en bas, Hoche, Kléber, Desaix et Marceau; en haut, Masséna, Lannes, Soult et Ney. ▸ La *partie orientale* de la galerie fut construite en 1806 par les mêmes architectes. Ceux-ci y ont copié l'ordonnance primitive de la partie occidentale de la Grande Galerie (façade sur le quai), laquelle fut plus tard refaite par *Lefuel* dans un tout autre style. Elle est décorée d'un ordre colossal supportant une série de frontons alternativement curvilignes et triangulaires. ▸ On terminera par la *partie occidentale* de la même galerie, incendiée en 1871, refaite et élargie par *Lefuel* du côté des jardins en 1875-1878. L'architecte y a reproduit la façade N. de la Grande Galerie, élevée par lui-même sous Napoléon III entre le pavillon de la salle des États et le pavillon de Flore, dans un style imité de celui des Tuileries.

L'ancien palais des Tuileries

De cet ancien palais, incendié sous la Commune, seuls subsistent les deux pavillons de Marsan (N.) et de Flore (S.).

Histoire du palais. Ce palais s'élevait sur un lieu appelé la Sablonnière et occupé, dès le XIIe s., par des tuileries. François Ier y avait acheté pour sa mère Louise de Savoie une petite maison de campagne sur le clos des Tuileries. Après la mort d'Henri II, blessé dans le tournoi des Tournelles et mort à l'hôtel des Tournelles, Catherine de Médicis ne voulut plus habiter dans l'hôtel; elle acheta le clos Le Gendre et le clos des Cloches, autour de l'ancienne maison de Louise de Savoie, et, en 1564, demanda à *Philibert de l'Orme* de lui élever un palais. Cet architecte établit un projet énorme, dont seule une faible partie fut réalisée; un pavillon central s'attachait à deux corps de bâtiments, précédés le long du jardin par des portiques. À la mort de Philibert de l'Orme (1570), *Jean Bullant,* suivant le plan de son prédécesseur, éleva un pavillon au S., mais en 1572 Catherine de Médicis interrompit les travaux, troublée, dit-on, par la prédiction d'une diseuse de bonne aventure, et fit bâtir par *Jean Bullant* l'hôtel de Soissons, dont il ne reste que la Colonne astronomique voisine de la Bourse du Commerce. Henri IV fit continuer le palais. *Jacques II Androuet Du Cerceau* éleva un corps de bâtiment, qui relia le pavillon de Bullant au pavillon d'angle (de Flore) achevé en 1608.

Gaston d'Orléans et sa fille, la Grande Mademoiselle, habitèrent les Tuileries jusqu'en 1652. Louis XIV concéda alors le palais à son jeune frère, le duc d'Anjou. En 1659, *Le Vau* construisit au N. des pavillons semblables à ceux du S. pour abriter la salle des Machines. En 1664, avec *François d'Orbay,* il remania complètement l'intérieur du palais pour permettre à Louis XIV de l'habiter pendant les travaux du Louvre.

Louis XV résida aux Tuileries pendant sa minorité. La salle des Machines, transformée, servit à l'Opéra lorsque la salle du Palais-Royal fut incendiée. Louis XVI s'installa aux Tuileries après le 6 octobre 1789. Le 20 juin 1792, le peuple envahit le château et le roi dut coiffer le bonnet rouge. Le 10 août, la foule en armes se rua contre les Tuileries; les Suisses furent tués, le roi fut déposé. Le 10 mai 1793, la

Convention vint siéger aux Tuileries dans une salle construite sur l'emplacement du théâtre et dans laquelle elle fut remplacée, le 4 novembre 1796, par le Conseil des Anciens, qui ne la quitta qu'au 18 Brumaire. C'est au rez-de-chaussée du pavillon de Flore, dans la salle Verte, que siégeait en permanence le Comité de salut public.

Bonaparte entra aux Tuileries le 1er février 1800 et, jusqu'en 1870, ce palais fut le siège du pouvoir exécutif. *Percier* et *Fontaine* remanièrent une fois de plus l'intérieur, modifiant l'escalier, les salles de réception, les appartements et aménageant la chapelle dans le pavillon de l'ancienne salle des Machines. Le 29 juillet 1830 et le 24 février 1848, le peuple s'en empara de nouveau. On y fit, en 1849, l'exposition annuelle de peinture. L'impératrice Eugénie s'y fit installer un appartement par *Lefuel.* Le 4 septembre 1870, par la grande galerie du Bord de l'Eau, l'impératrice quitta les Tuileries, qu'occupait la garde nationale, pour la Belgique.

Le palais fut incendié en mai 1871 par les Communards. Lefuel, après la guerre, proposa de rebâtir un nouveau palais, Viollet-le-Duc de sauver les ruines. En réalité, le gros œuvre était presque intact, mais le Parlement se prononça pour la démolition. En 1884, les derniers vestiges du palais disparaissaient et un jardin était établi en 1889.

Cependant, les débris arrachés au palais disparu furent dispersés dans toute la France, dans plusieurs pays d'Europe et jusqu'en Amérique. C'est ainsi que les pierres du pavillon qui se trouvait sur la place du Carrousel ont été employées par le comte Pozzo di Borgo à l'édification du château de la Punta, près d'Ajaccio (1886). À Paris même, quelques fragments ont été conservés dans le jardin des Tuileries (près du Jeu de Paume), dans les jardins du palais de Chaillot, à l'école des Ponts et Chaussées, à l'école des Beaux-Arts et à l'école spéciale d'Architecture.

Les pavillons. Le *pavillon de Marsan,* qui clôt la galerie N., a été reconstruit par *Lefuel.* Dans les étages est installé le *musée des Arts de la mode,* tandis que le rez-de-chaussée et la partie occidentale de la galerie sont occupés par le *musée des Arts décoratifs.* De l'autre côté des jardins, le *pavillon de Flore,* qui termine la Grande Galerie, appartenait également aux Tuileries. Refait sous le Second Empire par *Lefuel,* il est orné, face à la Seine, du fameux groupe de *Carpeaux : le Triomphe de Flore**; le fronton qui le surmonte est également du célèbre sculpteur. Cette façade domine le pont Royal.

LA VISITE INTÉRIEURE

pour les horaires → musée

1 h

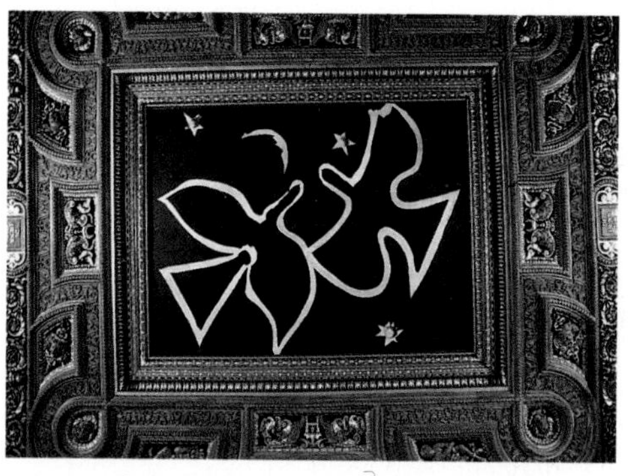

Mariage de la Renaissance et de l'art contemporain : les Oiseaux de Braque dans la salle Henri II.

Les bâtiments qui entourent la Cour Carrée et toute la partie S. du palais, y compris la moitié méridionale du Nouveau Louvre, sont occupés par le musée du Louvre. La visite de l'intérieur du palais se fait généralement en même temps que celle du musée. À condition, naturellement, de payer le droit d'entrée du musée, on peut aussi, après avoir vu les façades du Louvre, en visiter assez rapidement les parties intérieures les mieux conservées. La transformation du palais en musée ayant occasionné d'importants aménagements, seule subsiste dans son état d'origine la décoration intérieure de quelques appartements royaux et de plusieurs salles voisines, tous dans la partie la plus ancienne du palais, c'est-à-dire dans l'aile de Lescot et surtout dans la Petite Galerie. Le récent agrandissement du musée permet maintenant de découvrir les fondations du vieux Louvre médiéval, auxquelles on accède, sous la pyramide, par un nouveau hall d'accueil d'une architecture contemporaine intéressante.

*Le hall Napoléon**

L'événement qu'a constitué l'ouverture de la pyramide et du nouveau hall d'accueil en 1989 a fait oublier aux visiteurs que le Louvre était avant tout un musée. Il est vrai que ce grand hall, lumineux comme une cathédrale contemporaine, est un monument à lui tout seul. La grande simplicité de ce volume de plus de 50 m de côté dissimule un extrême raffinement, notamment dans le choix des matériaux. La pierre de Bourgogne, sur les murs, s'harmonise avec la couleur des façades du palais que l'on peut voir par transparence à travers la pyramide. Au-dessus des trois principales voies d'accès aux départements du musée, les caissons du plafond ont été coulés dans des moules en pin de l'Oregon, dont le dessin des fibres a été épousé par le béton liquide. Ce *béton* a fait l'objet de recherches approfondies, tant pour sa couleur que pour sa composition, dans laquelle entre une certaine quantité de silicates qui créent un léger scintillement et favorisent la réflexion de la lumière. Dans ce décor minéral pharaonique, l'escalier métallique à charpente intégrée, l'ascenseur à piston hydraulique et les élégants escaliers mécaniques à main courante de verre apportent une note de modernité technologique.

*Le Louvre médiéval**

Quitter le hall d'accueil en suivant les flèches « Louvre médiéval », direction : Sully. Au bout du corridor, on parvient à la *salle Le Vau,* où ont été replacés les vestiges de la culée du pont que le célèbre architecte de Louis XIV avait établi en avant du pavillon Sully, alors entouré de fossés.

On pénètre ensuite dans la crypte Sully, où l'on peut voir, à dr., les premiers vestiges de la forteresse construite par Philippe Auguste de 1190 à 1202. Au sol a été matérialisé, par un dessin de couleur, l'emplacement de la *tour de la Librairie* qui occupait l'angle N.-O. du château. On accède alors aux *fossés**, qui entouraient l'enceinte médiévale au pied de laquelle la visite se poursuit. Tout le vieux château fort de Philippe Auguste avait été détruit à partir du XVIe siècle, mais seulement jusqu'au niveau du sol. Au-dessous subsistaient les *fondations de la forteresse,* notamment la base des tours et des courtines, qui était protégée par les fossés qu'on avait remblayés. Le déblaiement des 16 000 m^3 de terre, qui a occasionné quelques trouvailles archéologiques, et la couverture de ces fossés par une dalle de béton permettent aujourd'hui au visiteur d'apprécier le seul vestige parisien de l'architecture militaire de la fin du XIIe siècle.

À dr. de l'entrée se trouve la base de la *tour du Milieu,* puis, isolée au milieu du fossé, la pile du *pont* qui conduisait du château au jardin du roi. La *tour de la Taillerie* marque ensuite l'angle N.-E. de l'enceinte. Plus loin, on passe devant le soubassement de la porte orientale, qui était encadrée de deux tours. La pile du pont-levis subsiste encore en avant de la courtine. On quitte les fossés extérieurs pour traverser l'épaisseur des fondations et accéder au fossé qui entoure le socle de l'énorme donjon circulaire. Plus loin, la visite de ce département consacré au Louvre médiéval s'achève avec celle de la *salle Saint-Louis.* Ancienne salle basse construite vers 1200, comme le reste du château fort, sa couverture fut refaite et voûtée d'ogives vers 1230-1240, époque à laquelle on ajouta les chapiteaux à crochets et les tailloirs polygonaux. Avec la construction de la salle des Caryatides, juste au-dessus, la voûte de cette salle basse disparut au milieu du XVIe siècle.

On quitte ces cryptes archéologiques en suivant la direction Sully. Au rez-de-chaussée, à dr. en haut de l'escalier, s'ouvre la salle des Caryatides.

*La salle des Caryatides***

Cette salle précédait les appartements de Catherine de Médicis et tient son nom des belles caryatides que *Jean Goujon* avait exécutées (1550) pour soutenir la tribune; au-dessus de celle-ci, le grand *bas-relief* en bronze est une copie de la Nymphe de Fontainebleau par *Benvenuto Cellini.* Tous les autres ornements, ainsi que la monumentale cheminée de style Renaissance, ont été exécutés sous la direction de *Percier* et *Fontaine,* mais les deux statues allégoriques qui ornent celle-ci sont de *Jean Goujon.*

En 1610, une effigie en cire d'Henri IV assassiné fut exposée dans la salle des Caryatides, du 10 au 20 juin, puis le cercueil y fut dressé du 21 au 29. C'est ici que Molière fit jouer ses premières pièces, que l'Institut tint ses séances publiques de 1796 à 1806 et qu'eut lieu le dîner offert par le président de la République à la reine Elizabeth II d'Angleterre et au prince Philip (10 avril 1957).

*Les appartements d'été d'Anne d'Autriche***

À l'extrémité opposée de la tribune, par le corridor de Pan, à dr., et la salle grecque archaïque (*plafond* de *Prud'hon :* Thétis invoquant Jupiter), on atteint, à g., les appartements d'été d'Anne d'Autriche, aménagés en 1654 au rez-de-chaussée de la Petite Galerie. À la suite de la *rotonde de Mars,* décorée de figures en stuc par *Michel Anguier,* ils comprenaient une suite de cinq salles, aux *plafonds* décorés encore de stucs (ceux de la salle des Antonins sont de *Girardon*) et de peintures mythologiques par *Romanelli* (voir le beau plafond de la salle des Saisons). La *salle des Antonins* comportait dans sa première partie la chambre d'Anne d'Autriche et, dans l'autre partie, le cabinet de travail où elle conférait avec ses ministres. ▸ De la rotonde de Mars, gagner l'*escalier de la Samothrace*, au pied duquel se trouve la *cour du Sphinx* avec, du côté E., la belle façade de ***Le Vau*** (1659-1661). L'escalier de la Samothrace donne accès à la galerie d'Apollon, qui occupe le premier étage de la Petite Galerie.

*La galerie d'Apollon**** → *musée du Louvre, plan du 1er étage des objets d'art*

Cette galerie, une des plus belles qui soient par ses dimensions (longueur 61,39 m, largeur 9,46 m, hauteur 11 m), fut construite sous Henri IV et, après un incendie, reconstruite au temps de Louis XIV sous la direction de ***Le Brun,*** puis complétée au XIXe s. dans un style Louis XIV approximatif.

Au-dessus de la *porte d'entrée :* le Réveil de la Terre, peinture par ***J. Guichard,*** d'après ***Le Brun.*** À la voûte, au centre, *Apollon vainqueur du serpent Python**, importante composition de ***Delacroix*** et seule création originale parmi celles du XIXe s.; les quatre autres grands cartouches représentent : la Nuit ou Diane, le Soir ou Morphée, par ***Le Brun,*** Castor ou l'Étoile du Matin, par ***Renou,*** l'Aurore, par ***Le Brun,*** refaite par ***Ch. Muller;*** sur les côtés de la voûte : l'Hiver, par ***Lagrenée le Jeune,*** le Printemps, par ***Gallet,*** l'Été, par ***Durameau,*** l'Automne, par ***Taraval.*** Au-dessus de la *fenêtre* qui a vue sur la Seine, le Triomphe de Neptune et d'Amphitrite ou le Réveil des Eaux, par ***Le Brun,*** restauré par ***Popleton.*** Sur les *parois,* dix-huit portraits (principaux artistes ayant travaillé au Louvre) en tapisserie, exécutés aux Gobelins (XIXe s.). ▸ Traverser la *rotonde d'Apollon* (au plafond, peinture de ***Merry-Joseph Blondel :*** la Chute d'Icare, 1819) et gagner la salle des Bijoux. ▸ La *salle des Bijoux.* Au plafond, peinture de ***Jean-Baptiste Mauzaisse :*** le Temps montrant les ruines qu'il amène et les chefs-d'œuvre qu'il laisse découvrir (1822). Elle occupe l'ancien cabinet du Roi et donne accès à l'ancien pavillon du Roi (angle S.-O. de la Cour Carrée), au premier étage duquel se trouvaient l'appartement du Roi et la salle des Gardes.

▸ Après la salle des Bijoux, on parvient à la *salle des Sept-Cheminées;* sur les voussures du plafond, figures ailées de ***Joseph Duret*** (1851).

▸ La *salle Henri-II* (à g.) était l'antichambre de l'appartement du Roi. Sculpté en 1557, le magnifique *plafond* doré de ***Francisque de Carpy*** fut complété sous le règne de Louis XIV. Depuis 1953, *les Oiseaux,* trois compositions contemporaines du peintre ***Georges Braque,***

Les appartements d'été d'Anne d'Autriche aménagés en 1654 dans la Petite Galerie.

viennent aérer et donner vie à ce décor de la Renaissance. ▸ La salle Henri-II donne accès à la *salle La Caze* (ou salle des bronzes antiques), qui était anciennement la salle des Gardes. ▸ À l'extrémité opposée, on peut voir le bel *escalier Henri-II,* un des premiers grands escaliers droits de France, construit par *Pierre Lescot* de 1550 à 1555. *Jean Goujon* et son atelier sculptèrent la décoration de cet escalier. ▸ Revenir sur ses pas jusqu'à la salle des Sept-Cheminées et prendre à g. en direction du département des Antiquités égyptiennes. Cette succession de salles qui bordent la Cour Carrée au S. forme la galerie Charles-X.

La galerie Charles-X

Cette galerie occupe l'emplacement de l'appartement aménagé par *Le Vau* au XVIIe s.

pour la jeune reine Marie-Thérèse. Puis, sous la Restauration, ces salles furent décorées (1826-1827) pour accueillir les collections d'art égyptien. Après la salle des Sept-Cheminées, la *salle Clarac* (au plafond, copie d'après *Ingres :* l'Apothéose d'Homère) sert de vestibule à la galerie Charles-X, qui donne sur la Cour Carrée, et à la galerie Campana, qui borde la Seine.

La description des *plafonds peints* suit l'ordre de succession des salles. Dans la galerie Charles-X, on trouve : salle H (250), de *François Heim,* le Vésuve reçoit de Jupiter le feu qui doit consumer Herculanum et Pompéi, Minerve intercède pour elles ; salle G (248), de *Charles Meynier,* les Nymphes de Parthénope conduites par Minerve sur les bords de la Seine ; salle F (246), de *François-Édouard Picot,* Cybèle protège Herculanum et Pompéi contre le Vésuve ; salle E (244), dite salle des Colonnes, d'*Antoine Jean Gros,* la Loi protège les Arts ; salle D (242), de *François-Édouard Picot,* l'Étude et le Génie dévoilant l'Égypte et la Grèce ; salle C (240), de *Abel de Pujol,* l'Égypte sauvée par Joseph ; salle B (238), de *Horace Vernet,* Jules II ordonnant les travaux de Saint-Pierre à Bramante, Michel-Ange et Raphaël ; salle A (238), d'*Antoine Jean Gros,* le Génie de la France anime les Arts et protège l'Humanité.

La galerie Campana

Elle fut décorée à la même époque pour recevoir la prestigieuse collection de céramique grecque qui lui a laissé son nom. On y trouve : salle A (253), par *Jean Alaux,* Poussin est présenté par le cardinal de Richelieu au roi Louis XIII ; salle B (251), par *Charles Steuben,* Clémence de Henri IV après la victoire d'Ivry (1833) ; salle C (249), par *Eugène Devéria,* Puget présente à Louis XIV le Milon de Crotone dans les jardins de Versailles ; salle D (247), par *Évariste Fragonard,* François Ier reçoit les tableaux rapportés d'Italie par Primatice ; salle E (245), par *François Joseph Heim,* la Renaissance des arts en France ; salle F (243), par *Évariste Fragonard,* François Ier armé chevalier par Bayard ; salle G (241), par *Jean Victor Schnetz,* Charlemagne reçoit Alcuin lui présentant des manuscrits ; salle H (239), par *Martin Drolling,* Louis XII proclamé « Père du Peuple » aux états généraux de 1506 ; salle I (237), par *Léon Cogniet,* l'Expédition d'Égypte sur les ordres de Bonaparte. ▸ La galerie Campana et la galerie Charles-X se réunissent dans le vestibule de l'escalier Percier. Sous la Restauration, d'importants travaux furent conduits dans cette partie du Louvre, dans l'aile S. de la Cour Carrée et dans l'aile de la Colonnade. Aux deux extrémités de celle-ci, les architectes *Percier* et *Fontaine* construisirent deux escaliers monumentaux, l'*escalier du Nord* et l'*escalier du Midi*. Sur le palier de l'escalier, tourner à g. dans l'aile de la Colonnade, pour accéder au vestibule des salles de la Colonnade.

Les salles de la Colonnade

Le *vestibule*. Le plafond et les parties anciennes des lambris proviennent de la chambre du Conseil au pavillon de la Reine, à Vincennes (1654-1658).

La *chambre à alcôve* est ornée de boiseries provenant de la chambre du Roi au Louvre, remaniée par *Le Vau* en 1654. Le *plafond* est celui de la chambre de Louis XIV : aux retombées, Esclaves et Trophées par *Girardon* et *Regnauldin*, Renommées par *Laurent Magnier* et *Legendre*. Dans l'*alcôve* (où fut porté le corps d'Henri IV après l'attentat de Ravaillac), quatre génies soutenant un pavillon, par *Gilles Guérin;* lit provenant du château d'Effiat (milieu du XVIIe s.). L'Audience du Légat, tenture de l'Histoire du Roi, d'après *Le Brun* (Gobelins, 1667-1672).

La *chambre de parade*. Ses boiseries sont en grande partie du temps d'Henri II et proviennent également de l'ancien pavillon du Roi. Le beau *plafond* en bois, sculpté par *F. de Carpy* (1558) sur les dessins de *Lescot* et transporté ici sous la Restauration, est celui de la chambre de parade d'Henri II. Les *portes*, attribuées à *Jean Goujon* ou à *maître Ponce*, ont été complétées et surmontées de frontons par *Utinot* et *Laurent Magnier* vers 1660. Aux *murs*, tentures de l'Histoire de Déborah, par *Pierre de Cortone* et *Romanelli* (milieu du XVIIe s.) ; le Sacrifice de Lystra, tenture des Actes des Apôtres, d'après *Raphaël* (atelier de Mortlake, Angleterre ; 1630-1635).

Musée du Louvre

Palais du Louvre, 1er arr. ☎ 40.20.51.51 / 36-J6
Visite : t.l.j. sf mar. 9 h-18 h;
nocturnes jusqu'à 21 h 45 le mer. et le lun.
Accès à l'auditorium, la librairie, les restaurants jusqu'à 22 h, t.l.j.
Entrée principale : pyramide (Cour Napoléon);
autre entrée : Porte Jaujard (Pavillon de Flore)
Métro : Palais-Royal— Musée du Louvre, Louvre-Rivoli, Tuileries
Bus : 21, 24, 27, 67, 69, 72, 81, 85, 95

Par une étrange métamorphose, le vieux château fort complexe, touffu et clos, tel qu'il apparaît sur le retable du Parlement de Paris, est devenu un immense musée ouvert au monde entier. Il a survécu aux massacres, aux révolutions, à tous les règnes et aux vicissitudes du temps. Et depuis Charles V, qui, pourtant, par goût du silence, lui préférait sa retraite de l'hôtel Saint-Pol, mais y avait déposé ses collections les plus précieuses, les rois, les empereurs, les présidents n'ont cessé d'amasser des trésors dans ce palais, l'un des plus vastes du monde (pour la description intérieure et extérieure du palais ainsi que pour celle de la pyramide → Le palais du Louvre).

L'HISTOIRE DES COLLECTIONS

Les origines du musée

C'est à François Ier que remonte l'origine de la collection royale, devenue le musée du Louvre. Le Primatice et Andrea del Sarto étaient chargés de rechercher en Italie les ouvrages les plus précieux, de faire reproduire en bronze les plus belles figures de l'antiquité. À la mort de François Ier, la collection renfermait des statues assez nombreuses, entre autres la *Diane à la Biche,* et douze des plus beaux tableaux du musée actuel, dont quatre Raphaël, quatre Léonard de Vinci et le portrait du roi par Titien.

À l'avènement de Louis XIV, le cabinet

La salle des Caryatides : c'est ici que Molière fit jouer ses premières pièces.

du Roi comprenait à peine 200 tableaux; mais Colbert, profitant de la détresse où le banquier Jabach était tombé, acquit au prix de 220 000 livres, outre sa collection de 5 542 dessins admirée par le Bernin, 101 tableaux qu'il avait achetés lors de la mise en vente par le Parlement des richesses artistiques de Charles Ier, parmi lesquelles se trouvait la galerie des ducs de Mantoue, qui passait pour la plus belle de l'Italie. Précédemment, à la mort de Mazarin, Colbert avait racheté les tableaux vendus au cardinal par Jabach et parmi lesquels figurait l'*Antiope* du Corrège. Ce fut là le noyau de la collection actuelle, et lors de l'inventaire de 1709-1710, le cabinet comprenait 1 500 tableaux.

Il s'enrichit aussi, sous Louis XV, par l'achat de la collection du prince de Carignan et par les tableaux que les rois commandèrent aux Le Brun, Mignard, Coypel, à tous les maîtres français. Louis XVI l'augmenta de nombreux tableaux flamands et hollandais. De 1750 à 1785, une partie des chefs-d'œuvre du cabinet du Roi fut exposée au Luxembourg, tandis que de 1737 à 1848, les Salons de peinture se tinrent régulièrement dans le Salon Carré.

Du muséum au Louvre

L'Assemblée nationale, dès le mois de mai 1791, ordonna « la création d'un muséum au palais du Louvre ». Le 27 juillet 1793, le décret constituant le muséum central des Arts fut adopté, et le musée ouvrit ses portes au public.

La Convention ayant décidé le transfert au Louvre des tableaux restés à Versailles, la Grande Galerie fut bientôt insuffisante et dut être remaniée. Le Salon Carré et la galerie d'Apollon, puis la Grande Galerie, se rouvrirent de 1796 à 1801 ; enfin, le muséum, devenu musée Napoléon quand les conquêtes de l'Empire l'eurent enrichi d'autres chefs-d'œuvre, devint la collection la plus magnifique des temps modernes; mais, en 1815, les restitutions imposées par les puissances étrangères alliées dispersèrent un grand nombre de ces trésors à travers l'Europe.

Louis XVIII distribua, entre les musées de province et les églises, environ 300 des tableaux du Louvre, qui appartenaient alors à la liste civile. Il voulut que la *Vénus de Milo,* nouvellement découverte, fût placée au Louvre dans l'état où on l'avait trouvée. En 1824, le Louvre recueillit, dans les salles ouvertes au rez-de-chaussée, les premiers éléments du musée de sculpture moderne. Sous Charles X s'ouvrirent, au premier étage, les belles salles du musée des Antiquités grecques et égyptiennes. En même temps furent acquises par l'État les précieuses collections Revoil et Durand. Sous Louis-Philippe, le musée assyrien fut créé.

En 1848, le musée devint la propriété de l'État et une grande impulsion fut donnée à son réaménagement. Le Salon Carré, la salle des Sept-Cheminées, la galerie d'Apollon, la Grande Galerie furent décorés et embellis. Sous le Second Empire, le musée s'enrichit de toiles importantes et de statues antiques, la collection Campana fut achetée. Sauvageot donna la sienne en 1856 et le Dr La Caze, en 1869, légua sa galerie de tableaux. À partir de 1870, le musée bénéficia de legs importants : en 1874, les boîtes et les miniatures de M. et Mme Lenoir; en 1876, les bronzes et les dessins de M. His de la Salle; en 1878, cinq toiles de très grande valeur appartenant à Mme Duchâtel; en 1881, les collections d'A. Thiers; en 1885, le riche cabinet du baron Ch. Davillier; en 1889, les legs de Mme Boucicaut; en 1890, le legs Picot; le legs Caillebotte (entré en 1929 seulement); en 1901, 1904 et 1906, les legs de la baronne Nathaniel, du baron Arthur et du baron Alphonse de Rothschild; en 1902, les legs Thomy-Thiery; en 1906, la donation Moreau-Nélaton; en 1909, le legs Chauchard; en 1911, le legs Camondo; en 1914, le legs Arconati-Visconti et la donation Martin le Roy; en 1915, le legs Schlichting; en 1919, le legs Chassériau; en 1927, le magnifique legs Étienne Moreau-Nélaton; en 1930, la donation de la princesse Louis de Croy, le legs Gustave Schlumberger, la collection des Carrière et M. Devillez; en 1931, le legs Raymond Kœchlin; en 1936, l'insigne collection de gravures et de dessins du baron Edmond de Rothschild; en 1937, la donation David-Weill; de 1939 à 1945, l'importante collection Carlos de Beistegui, la collection de peintures de Paul Jamot, les donations de la princesse de Polignac, de Nanteuil de la Norville,

Edme Sommier, Seymour de Ricci, etc.; en 1952, le legs Paul Gachet; en 1955, la donation Niarchos (collection Puiforcat, 373 pièces d'orfèvrerie); en 1961, les donations Mège et Côte, ainsi que l'importante collection Lung (peinture moderne); en 1962, la donation, par Mme Dufy, d'un ensemble considérable de peintures de Raoul Dufy; les acquisitions réalisées avec la participation des Amis du Louvre, parmi lesquelles on peut citer le portrait du Chancelier Séguier par Le Brun, sont venues compléter cet ensemble. Enfin, la collection De Clercq De Boisgelin accrut le fonds du département des Antiquités de 3 500 pièces nouvelles.

Nos missions artistiques et scientifiques (dont plusieurs sont subventionnées par le Conseil des Musées) n'ont cessé, depuis cinquante ans surtout, d'augmenter ces richesses. En même temps, le Conseil des Musées nationaux, institué en 1895 pour administrer les ressources destinées à l'enrichissement des collections, faisait entrer au Louvre, par de judicieux achats (souvent facilités par la société des Amis du Louvre), des œuvres précieuses, telles que la Tête Laborde, le trésor de Li-Yu, la Suppliante Barberini, *l'Atelier* de Courbet, le *Portrait d'un gentilhomme* par Watteau, une singulière *Allégorie* de Louis

---

Pour en savoir plus

Les visites guidées : R.V., sous la pyramide, 15 mn avant l'heure de la visite dans l'espace «Accueil des groupes».
— Visite générale : 11 h t.l.j. sf mar.; 15 h t.l.j. sf dim. et mar.; 19 h 45 mer. En anglais : 10 h, 11 h 30, 14 h t.l.j. sf dim. et mar.
— Visite architecturale : 10 h 30 t.l.j. sf mar.; 15 h 30 t.l.j. sf dim. et mar.; 18 h 30 mer.
— Visite d'une collection : 2 par jour (consulter les écrans d'information ou les programmes).
— Visite approfondie (d'une partie d'une collection) : 14 h 30 t.l.j. sf mar. et dim.; 10 h 15 et 14 h 30 le sam.
— Une œuvre : t.l.j. en semaine de 12 h 30 à 13 h 30.
Nota : Pour les groupes déjà constitués (max. 30 personnes) qui souhaitent bénéficier des services d'un conférencier (t.l.j. sf dim. a.-m.), il est nécessaire de réserver 2 mois à l'avance au 40.20.50.50.

Les travaux de 1977 ont permis de dégager l'enceinte de Philippe Auguste.

(?) Le Nain, le *Calvaire* par G. Bellini, une *Madone* par Barnaba da Modena, *la Marquise de Santa-Cruz* de Goya, *Portrait de Malatesta* par Piero della Francesca, etc.

Dirigé par M. Michel Laclotte, le musée du Louvre est divisé en sept grands départements : les antiquités orientales, les antiquités égyptiennes, les antiquités grecques et romaines, les peintures et dessins, les sculptures, les objets d'art et le mobilier.

Récemment, l'ouverture de la pyramide a permis de faciliter l'accès à chaque département du musée du Louvre. Le plan d'extension du musée a déjà commencé et se poursuivra jusqu'en 1993, après que les espaces de l'aile Nord du Palais (aile Richelieu), libérée par le ministère des Finances, auront été réaménagés.

Le hall Napoléon

Installé sous la superstructure en verre de la pyramide, cet espace sert à l'accueil et à l'information des visiteurs, et permet d'accéder directement aux différents départements du musée. Le hall Napoléon *(ouvert t.l.j. sf mar. 9 h-22 h)* abrite de nombreux services commerciaux et culturels :

— L'auditorium : concerts, projections audiovisuelles, colloques et conférences dont le programme est annoncé sur les écrans vidéo du musée. Renseignements : 40.20.52.99 (14 h-17 h 30).

— La librairie et les boutiques : vente de livres, périodiques, gravures, cartes et reproductions, moulages et bijoux.
— L'accueil : en plus des programmes trimestriels édités par le musée et du diaporama présentant les grandes œuvres du Louvre, un système informatisé renseigne les visiteurs. Quinze moniteurs vidéo permettent de savoir à tout moment ce qu'il est possible de faire au jour le jour (programme de l'auditorium, des visites-conférences, des expositions, des ateliers, des collections accessibles...).
— Les restaurants et facilités pratiques (bureau de change et bureau de poste, téléphones publics...).

L'histoire du Louvre et les fossés médiévaux
Du hall Napoléon, par l'accès Sully, on arrive dans deux nouvelles salles présentant en permanence l'histoire architecturale du palais. On y voit des plans-reliefs du Louvre et du quartier, des pièces archéologiques issues des fouilles récentes, des tableaux des souverains et des vues du Palais, ainsi que des sculptures en rapport avec les décors extérieurs. Puis le visiteur peut découvrir les vestiges de l'antique demeure royale, le premier Louvre, dont les fondations ont été redécouvertes lors des travaux effectués dans la Cour Carrée en 1977. Il s'agit des vestiges de l'enceinte de Philippe Auguste (1165-1223), du donjon et de l'une de ses salles datant du règne de Saint Louis (1214-1270). Là aussi sont présentés divers objets découverts lors des fouilles, dont un casque en cuivre doré de Charles VI (1368-1422).

ANTIQUITÉS ORIENTALES

Conservateur en chef : Melle Annie Caubet.
Accès : partir de la pyramide et du hall Napoléon, se diriger vers le pavillon Sully ou de l'Horloge et là, vers les fossés de Charles V, prendre à g. pour gagner le département.

Le Louvre est l'un des principaux musées du monde pour les monuments du Proche-Orient ancien. Ce département a été inauguré le 1er mai 1847 sous le nom de Musée assyrien, à la suite des découvertes de P. E. Botta à Khorsabad, en Mésopotamie du Nord. Puis les fouilles françaises de V. Place à Khorsabad, d'E. de Sarzec à Tello en Mésopotamie du Sud (pays de Sumer), de Marcel et Jeanne Dieulafoy puis de J. de Morgan à Suse en Iran, ont constitué les premières collections au XIXe s., révélant successivement au monde les civilisations assyrienne, sumérienne et élamite. Au XXe s. et jusqu'à la Seconde Guerre mondiale, le Louvre a reçu principalement des monuments provenant des missions françaises de MM. Cros, H. de Genouillac et André Parrot à Tello; J. de Morgan, R. de Mecquenem et R. Ghirshman en Iran, surtout à Suse; Cl. Schaeffer à Ras Shamra et A. Parrot à Mari en Syrie. Le département est également constitué par des acquisitions et par des dons, comme celui, très important, d'une partie de la collection De Clercq, fait en 1967 par le comte de Boisgelin.

Les collections occupent toute la moitié N. du rez-de-chaussée de la Cour Carrée. Le transfert des collections vers l'ancienne aile des Finances, ou aile Richelieu, est prévu pour 1993.

LA MÉSOPOTAMIE

Salle 1 : présentation générale des civilisations de l'Orient ancien; les origines de la civilisation mésopotamienne.

Cartes et chronologie des civilisations de l'Orient ancien.

Présentation de deux œuvres majeures : l'*obélisque de Manishtusu,* roi d'Agadé, et la *statue colossale de Gudéa,* prince néo-sumérien de Lagash.

Vitrines des époques néolithique,

chalcolithique et proto-urbaine. Statuettes du roi-prêtre.

Vitrine sur la *naissance de l'écriture.*

Salle 2 : la civilisation mésopotamienne archaïque (2850-2000 av. J.-C.).

La majeure partie des objets présentés provient des fouilles de Tello en Basse-Mésopotamie, dirigées par *E. de Sarzec, G. Cros, H. de Genouillac* et *A. Parrot,* et de Mari en Syrie, dirigées par *A. Parrot.* Les *fouilles* de la ville sumérienne *de Tello****** (ancienne Girsu, capitale de l'État de Lagash) ont permis la redécouverte au siècle dernier de la civilisation de Sumer. Dans les vitrines : masse d'arme de *Mesilin,* roi de Kish ; plaque votive perforée du *roi Ur-Nanshé,* fondateur de la dynastie de Lagash ; plaque du prêtre Dudu ; vase d'argent du roi Entemena de Lagash, révélant la maîtrise des métallurgistes du temps ; statue de Satam, et statuettes votives d'orants.

La *stèle des Vautours***, commémorant la victoire du roi Eanna-tum sur la ville d'Umma, est le plus ancien document historique connu (2450 av. J.-C.).

La civilisation de Mari, ville du Moyen-Euphrate, est proche de la civilisation de Sumer. À dr., statue en albâtre de l'*intendant Ebih-Il****** de Mari (vers 2400 av. J.-C.), vêtu d'une jupe de peau, appelée kaunakès. Dans la vitrine de Mari à l'époque des dynasties archaïques, statuettes d'orants et orantes, de musiciens ; panneau en fragments de coquille.

Les rois d'Agadé (ou Accad) supplantèrent la civilisation archaïque de type sumérien et imposèrent leur culture à l'ensemble de la Mésopotamie en créant un véritable empire.

La naissance de l'écriture

La plus ancienne écriture est apparue vers 3300 av. J.-C. à Uruk, dans le pays de Sumer, au sud de l'Iraq actuel. Les premiers documents sont des pièces comptables gravées sur des tablettes d'argile. Cette écriture fut d'abord pictographique, un signe représentant un mot, puis, dans le courant du IIIe millénaire, elle devint cunéiforme, c'est-à-dire composée de traits en forme de clous. De cette époque nous connaissons des textes historiques et économiques, telle une inscription du prince de Lagash, Entemena, qui fait état de la liberté donnée à ses sujets, ou encore un texte d'Urukagina qui évoque des réformes sociales.

Les scribes d'Agadé, vers 2300 av. J.-C., utilisaient des syllabes ; un signe représentait alors un son.

Le règne de Gudea fut l'un des plus brillants de la civilisation de Sumer.

Les principaux vestiges de cette civilisation ont été trouvés à Suse (Iran), où ils avaient été transportés comme butin de guerre.

*Stèle de Naram-Sin***, roi d'Agadé, relatant sa victoire sur une peuplade montagnarde. Statues du roi Manishtusu (2300 av. J.-C.). Fragments de stèles de Sargon, fondateur de la dynastie.

Après la chute de l'empire d'Agadé, les Sumériens reprirent le pouvoir. Leurs capitales furent Lagash, où régna Gudéa, et Ur. Les objets néo-sumériens présentés ici proviennent des fouilles de Tello. Au fond à g., *Gudéa au vase jaillissant****, statue intacte en diorite ; statuette d'Ur Ningisu, fils de Gudéa ; statues en diorite noire : petit Gudéa assis, Gudéa architecte. Toutes avaient été vouées dans des temples de la ville. Vitrines côté gauche (cour Napoléon) : la Femme à l'écharpe ; têtes en diorite. *Tête de Gudéa au pseudo-turban****, vase à libation du prince. L'art des sceaux (glyptique). Dans les vitrines d'embrasure à dr. (côté Cour Carrée) : histoire de l'écriture cunéiforme et de la littérature, des origines à la première moitié du IIe millénaire (→ *encadré*). Vitrine 14 : cylindre de Gudéa, relatant la construction du temple du dieu Ningirsou, à Lagash. Vitrines 11 et 12 : *fouilles de Tello***, bronzes et figurines en terre cuite ; art populaire de l'époque néo-sumérienne.

Salle 3 : Mari et Larsa (fouilles de A. Parrot)

Mari au IIe millénaire. *Peintures du palais de Zimrilim** (début du IIe millénaire) : scène sacrificielle ; investiture du roi. Dépôt de fondation du temple de Dagan et avant-train de lion en bronze défendant l'entrée du même temple (XVIIIe s. av. J.-C.). Statuette d'Idi-ilum, gouverneur de Mari (XXe s. av. J.-C.) ; plats destinés à la table royale.

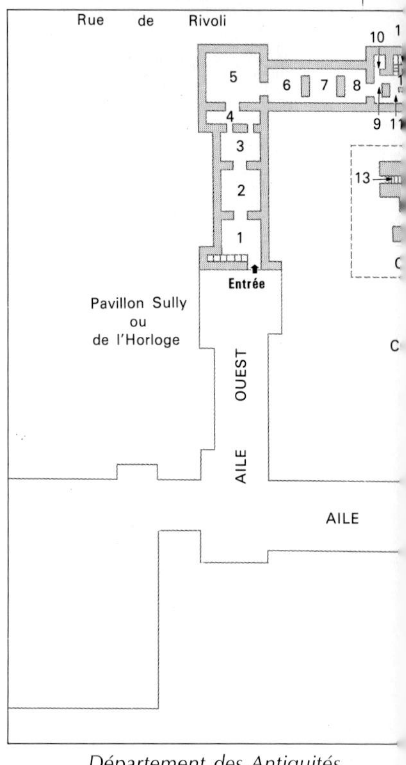

Département des Antiquités

1 *Présentation générale : les origines de la civilisation mésopotamienne*
2 *La civilisation mésopotamienne archaïque*
3 *Mari et Larsa*
4 *La civilisation babylonienne*
5 *La préhistoire iranienne et l'orfèvrerie*
6 *L'Élam aux IIIe et IIe millénaires av. J.-C.*
7 *L'Élam et les Perses*
8 *Suse*
9 *Suse, l'Urartu*
10 *Parthes et Sassanides*
11 *Bronzes du Luristan*
12 *Iran parthe, sassanide, chrétien et musulman*

Larsa, ville royale de Mésopotamie du Sud, a joué aussi un grand rôle à cette époque. Grand vase cultuel dédié à la déesse Ishtar, avec représentation de la déesse gravée ou en relief, et d'animaux divers. Sceaux-cylindres, bijoux, amulettes en lapis-lazuli et nacre.

Salle 4 : Babylone
À la fin du IIIe millénaire av. J.-C., les

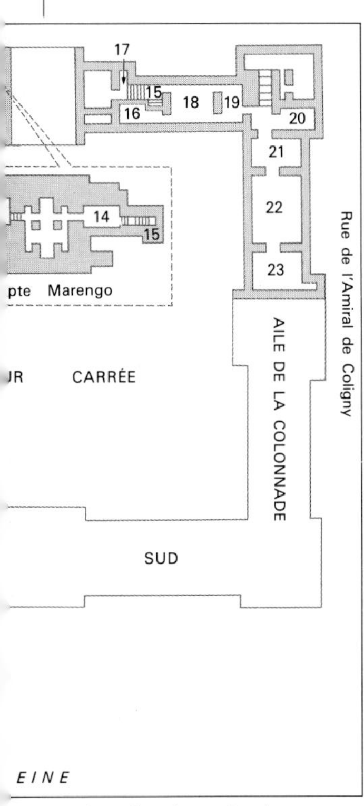

orientales / rez-de-chaussée

13 *Phénicie*
14 *Palmyre*
15 *Antiquités puniques*
16 *Le Levant phénicien et araméen*
17 *Palestine et Transjordanie*
18 *Le Levant aux IIIe et IIe millénaires av. J.-C.*
19 *Chypre*
20 *L'Islam*
21 *L'Assyrie*
22 *L'Assyrie : Nimrud et Khorsabad*
23 *Ninive*

envahisseurs Amorites déferlèrent sur la Mésopotamie, créant des royaumes rivaux, dont celui de Babylone, qui domina le pays au temps de Hammurabi (1792-1750 av. J.-C.).

La dynastie de Babylone fut ensuite détrônée par des étrangers, les Kassites. Au Ier millénaire, Babylone fut reconstruite sous l'empire néo-babylonien, dont Nabuchodonosor II (604-562 av. J.-C.) fut le plus grand roi.

À ne pas manquer

La Mésopotamie
Fouilles de Tello, IIIe millénaire av. J.-C. (salle 2).
Statues de Gudéa, 2150 av. J.-C. (salle 2).
Statue de l'intendant Ebih II, 2400 av. J.-C. (salle 2).
Code de Hammurabi, IIe millénaire av. J.-C. (salle 4).
L'Iran
Orfèvrerie achéménide, VIe s.-IVe s. av. J.-C. (salle 5).
Céramique de Susiane, IVe millénaire av. J.-C. (salle 5).
Statue de Napir-Asu, IIIe millénaire av. J.-C. (salle 6).
Chapiteau au taureau, de l'Apadana, VIe s.-IVe s. av. J.-C. (salle 7).
Pays du Levant
Stèle de Baal au foudre, XVIIe s. av. J.-C. (salle 18).
L'Assyrie
Bas-reliefs des palais de Khorsabad, VIIIe s. av. J.-C., et Ninive, VIIe s. av. J.-C. (salles 22-23).

La plupart des monuments babyloniens de cette salle ont été trouvés à Suse (fouilles J. de Morgan), où ils avaient été amenés en butin par un roi élamite du XIIe s. av. J.-C. Au centre, le *code de Hammurabi****, roi de Babylone (1792-1750 av. J.-C.), en basalte, haut de 2,25 m, portant le texte cunéiforme des 282 lois inspirées au roi par le dieu de la justice, Shamash, comme le montre le relief qui les représente au sommet de la stèle. Vitrines 2 et 4 : une *tête royale*** est peut-être un portrait de ce même Hammurabi âgé; deux bronzes rehaussés d'or (acquisition), dont l'un, voué pour la vie de Hammurabi, représente probablement le roi de Babylone lui-même, en prière; figurines de terre cuite du début du IIe millénaire, provenant d'Eshnunna et représentant des divinités, des modèles de chars et des scènes amusantes de la vie quotidienne : musiciens, menuisier, montreur de singes, lutteurs. Au mur, panneau en briques moulées émaillées avec un lion provenant de la voie processionnelle à Babylone, construite par Nabuchodonosor II au VIe s. av. J.-C. Vitrine 5 : tablette cunéiforme décrivant la Tour de Babel, ou ziggurat, et objets babyloniens du Ier millénaire av. J.-C. À g. de la salle, Kudurru d'époque kassite (seconde moitié du IIe millénaire), destinés à placer des donations de terrains par le roi sous la protection des dieux. Dans la vitrine 1 : sceaux-cylindres babyloniens et assyriens (IIe et Ier millénaires av. J.-C.).

L'IRAN

Les salles 5 à 12 sont consacrées aux fouilles de Suse et aux monuments provenant d'Iran.

Salle 5 : la préhistoire iranienne et l'orfèvrerie

La ville de Suse, située dans le pays d'Élam (en Iran aujourd'hui), a été longtemps la rivale de Sumer et de Babylone. On y a trouvé des trésors babyloniens apportés en butin et des antiquités élamiques remontant aux origines de cette civilisation montagnarde. De nombreux objets proviennent de sites du plateau iranien : Tépé Sialk, Tépé Giyan...

Au centre, vitrine d'orfèvrerie iranienne : *parures achéménides****, colliers, bracelets et pendants d'oreilles en or avec incrustations de couleur ; anse de vase en forme de bouquetin ailé (en argent et électrum). Orfèvrerie iranienne de la fin du IIe millénaire et du début du Ier : gobelets en électrum et en argent, appliques en or. À g., vitrine des *vases de Suse****, remarquables par le décor et la finesse de la pâte (4000 av. J.-C.). À dr., vitrine 2 : céramique et objets de Tépé Giyan (fouilles Contenau et Ghirshman) et de Tépé Sialk (fouilles R. Ghirshman). Côté rue de Rivoli, céramique archaïque de Susiane ; vaisselle et petites sculptures de Suse (seconde moitié du IVe millénaire) ; empreintes de sceaux susiens (IVe millénaire) et tablettes proto-élamites (vers 2900 av. J.-C.). Aux murs, panneaux en briques moulées achéménides. Vitrine 12 : Iran du Nord. Céramique d'Ismaïlabad (fin du Ve millénaire) ; céramique de Tépé Hissar (IIIe millénaire) ; céramiques, bijoux, objets divers de Tureng Tépé (IIIe millénaire-début du IIe millénaire av. J.-C.) ; civilisation de Marlik (XIIIe-Xe s.) ; nécropole de Khurvin (Xe-VIIIe s.) ; Tomadjan (IXe-VIIIe s.) ; Hasanlu IV (Xe-IXe s.) ; Kaluraz (VIIe s.) ; Ardébil (VIIe s.).

▸ Passage de la salle 5 à la salle 6 : vitrine abritant les *antiquités de Bactriane* (Afghanistan du Nord), aux fortes affinités élamites. Statuette composite de femme en tenue de princesse élamite. Haches d'apparat.

Salle 6 : l'Élam aux IIIe et IIe millénaires av. J.-C.

Suse, au milieu du IIIe millénaire av. J.-C., était une ville d'importance moyenne, semblable à celles de Mésopotamie dont elle subit l'influence. Vitrine 1 : mobilier des tombes susiennes du milieu du IIIe millénaire ; vases peints. Vitrine 2 : antiquités d'Iran du Sud-Est ou transélamites : vases en chlorite ; plats à décor central. Vitrine 3 : importations transélamites, indiennes et du golfe Persique trouvées à Suse. Vitrine 4 : mobilier des temples susiens : sculptures de type mésopotamien et de style local. Vitrine 5 : *vase à la Cachette***, trésor contenu dans deux vases (vers 2400 av. J.-C.).

Vitrines 6, 7 et 8 : Suse à la fin du IIIe et au début du IIe millénaire. Vases de luxe en bitume. Statuette du dieu susien souriant en cuivre. Vitrine 9 (milieu) : portraits funéraires peints en terre crue (XVe s. av. J.-C.). Vitrine 10 : objets découverts à Tchoga Zanbil (30 km de Suse), ville royale élamite du XIIIe s. av. J.-C. ; à côté, on verra la maquette de la ziggurat bâtie au centre de la ville, par le roi Untash Napirisha. Au milieu de la salle : *statue* en bronze *de la reine Napir-Asu****, femme d'Untash Napirisha, ouvrage considérable qui pèse encore 1 750 kg. En face, *statue de déesse** élamite sur trône orné de lions (vers 2100 av. J.-C.). *Plateau votif*** en bronze représentant une scène cultuelle dans un sanctuaire en plein air (XIIe s. av. J.-C.). Vitrine 11 : objets déposés dans les tombes royales de Suse au XIIe s. av. J.-C. : orants de bronze ; jouets. Panneaux de briques moulées avec déesse bénisseuse et homme-taureau gardien du palmier. Stèle du roi Untash Napirisha, à quatre registres : en bas, les génies-gardiens du domaine du dieu-patron du roi.

Salle 7 : l'Élam et les Perses

Dans les vitrines : vases et objets néo-élamites. Textes inscrits sur les briques des temples susiens. Masque et mains en argent, appliqués sur une statuette. Stèle du dernier roi d'Élam, Adda Hamiti. Iushushinak, représenté casqué. Lion en terre cuite émaillée médio-élamite (XIIIe-XIIe s. av. J.-C.). Au VIe s. av. J.-C., les Mèdes puis les Perses s'emparèrent du Proche et du Moyen-Orient, fondant un empire qui se disait universel. Darius Ier (522-486 av. J.-C.) installa sa capitale administrative à Suse, où il édifia un somptueux palais.

*Chapiteau aux taureaux**** en calcaire, provenant de l'Apadana ou palais de Darius (VIe-IVe s. av. J.-C.). Le long des murs, panneaux en briques émaillées décorant les murs du palais : archers, lion, taureau ailé, motifs floraux et géométriques. Lion en bronze servant de poids. Poids de bronze en forme d'osselet apporté à Suse en butin depuis le temple d'Apollon à Milet (Ve s. av. J.-C.). Vitrine centrale : orfèvrerie pré-achéménide et achéménide ; rhyton (vase en forme d'animaux) affectant diverses formes. Fragments de *Stèle bilingue** de Darius Ier (provenant du canal du Nil à la mer Rouge).

Salle 8 : décor du palais et collections de sceaux-cylindres

Panneaux en briques émaillées du palais de

Darius à Suse : archers de la garde royale (fouilles Dieulafoy); griffons; sphinx portant le disque ailé, symbole de la monarchie perse. Bas-reliefs de Persépolis. Grande vitrine présentant l'évolution des cachets et sceaux-cylindres en Élam puis chez les Perses.

Salle 9 : décor émaillé de Suse; l'Urartu
Aux murs, suite des panneaux en briques émaillées du palais achéménide de Suse. Vitrine consacrée au royaume d'Urartu (région du lac de Van) : casque en bronze (VIIIe-VIIe s.); têtes de taureaux en bronze; divinité portée par un monstre (Toprak-Kalé); plaques votives en bronze; cachets.

Salle 10 : Parthes et Sassanides (IIIe s. av. J.-C. - VIIe s. apr. J.-C.)
Avec la conquête d'Alexandre le Grand s'imposa une nouvelle culture : l'hellénisme. Puis la prise du pouvoir par les Perses sassanides, en 224 apr. J.-C., entraîna une réaction nationaliste aux créations artistiques très originales.

Vitrine d'orfèvrerie : fourreau et poignée d'épée en or; aiguière en argent doré (VIe-VIIe s. apr. J.-C.), décorée de danseuses; tête de cheval en argent et or; éléments de ceinture en or; grande coupe de chasse royale en argent doré; buste royal en bronze. Terres cuites et petits objets parthes et sassanides.

Salle 11 : bronzes du Luristan
Les objets de bronze exposés dans cette salle constituent le mobilier funéraire de montagnards nomades occupant la province du Luristan, située dans les monts du Zagros, au nord de l'Élam.

Vitrine 1 : époque ancienne (2500-1800 av. J.-C.). Vitrine avec hachettes de type élamite; vitrine 2 : haches du début du IIe millénaire et *enseigne** décorée d'une ronde. Vitrine centrale : époque classique (XIIe-VIIe s. av. J.-C.); épées, haches, enseignes funéraires, *plaques de mors de chevaux*** déposées dans des tombes de cavaliers et ornées de taureaux ailés dont la stylisation décorative est propre à l'esprit nomade. Vitrine 4 : épingles votives en forme de disques décorés de scènes mythologiques.

Salle 12 : Iran parthe, sassanide, chrétien et musulman
Sculptures parthes des fouilles de R. Ghirshman à Bard-e Nechandeh et Masjid-i Soleiman (Ier-IIIe s. apr. J.-C.). Mosaïques et moulage d'une niche de stuc du palais de Bichapour (IIIe s. apr. J.-C., fouilles R. Ghirshman). Motifs sassanides en stuc (IVe-VIe s. apr. J.-C.). En

Chronologie des civilisations présentées

Vers 8000 av. J.-C.	*Villages néolithiques en Syrie et au Kurdistan.*
Vers 6000 av. J.-C.	*Néolithique récent : diffusion de la céramique peinte.*
Vers 4200 av. J.-C.	*Fondation de Suse (Iran du S.-O.).*
Vers 3500-3200 av. J.-C.	*Civilisation d'Uruk : naissance de l'écriture.*
Vers 2800-2340 av. J.-C.	*Époque des dynasties archaïques de Sumer.*
2340-2190 av. J.-C.	*Empire sémitique d'Agadé.*
2190-2000 av. J.-C.	*Renaissance néo-sumérienne.*
1894-1595 av. J.-C.	*Première dynastie de Babylone. Hammurabi (1792-1750).*
1595-1155 av. J.-C.	*Dynastie kassite à Babylone.*
XIIIe-XIIe s. av. J.-C.	*Apogée de l'Élam.*
IXe-VIIe s. av. J.-C.	*Empire assyrien. 612 : chute de Ninive.*
VIe-IVe s. av. J.-C.	*Empire perse achéménide.*
305-65 av. J.-C.	*Empire des Séleucides : civilisation hellénistique.*
250 av.-226 apr. J.-C.	*Empire parthe en Iran et Mésopotamie.*
226-641 apr. J.-C.	*Empire sassanide en Iran et Mésopotamie.*

vitrines, antiquités chrétiennes trouvées à Suse, et vases islamiques. *Khatchkar***, grande stèle avec croix provenant du cimetière d'Arindj (Arménie soviétique), offerte par la République d'Arménie soviétique. Monde arabe pré-islamique. Vitrine du Hauran, Petra, Arabie. Vitrines des royaumes du Yemen.

LES PAYS DU LEVANT

Salle 13 : Phénicie

Les sarcophages présentés dans cette salle révèlent que la Phénicie subit à la fois l'influence de la Grèce et de l'Égypte.

Sarcophages et reliefs de la région de Sidon, rapportés par la mission Renan en 1861. Dans la travée centrale, *sarcophage du roi Eshmunazar***, en forme de momie égyptienne (Ve s. av. J.-C.). Sarcophages anthropoïdes ou à couvercle à double pente; sarcophage en plomb. Aux murs, bas-reliefs d'Oum el Awamid (IIIe-IIe s. av. J.-C.). Dans la dernière travée à g., reconstitution du mithreum de Sidon, avec

Le sarcophage d'Eshmunazar révèle l'influence égyptienne sur la Phénicie.

statues en marbre se rapportant au culte de Mithra qui accomplit le sacrifice symbolisant la création du monde (IVe s. apr. J.-C., ancienne collection De Clercq).

Salle 14 : Palmyre

L'oasis de Palmyre (« des palmiers »), relais caravanier au cœur du désert syrien, connut sa plus grande prospérité entre le Ier et le IIIe s. de notre ère. Elle est illustrée ici par des reliefs funéraires obturant les niches contenant les corps : bustes d'hommes et de femmes dont le nom est gravé sur le fond; reliefs avec le défunt étendu sur un lit et sa femme assise sur un tabouret à ses pieds. On remarquera, à g., un beau buste de femme à l'expression désabusée. En face d'elle, relief de trois divinités palmyréniennes en costume militaire. Au fond de la salle, puits antérieur à la construction du Louvre.

Salle 15 : antiquités puniques *escalier qui remonte de la crypte*

Carthage fut un véritable carrefour de civilisations, où se rencontrèrent les cultures libyennes d'Afrique du Nord, orientales et helléniques.

Stèles votives et funéraires de Carthage. Stèle de la Ghorfa (Ier-IIe s. apr. J.-C.), avec le Signe de Tanit. Sarcophage de prêtre punique (300 av. J.-C.), très influencé par l'hellénisme.

Salle 16 : le Levant phénicien et araméen

À la fin du IIe millénaire av. J.-C., les nomades araméens, venus du désert de Syrie, fondèrent de nombreux royaumes guerriers dans les pays du Levant. Seuls demeurèrent sur la côte les Phéniciens, qui créèrent l'alphabet et le transmirent aux Araméens installés dans l'arrière-pays. Dans la première partie de la salle sont regroupés les monuments phéniciens.

Le buste du pharaon Osorkon Ier (924-895 av. J.-C.), avec dédicace phénicienne du roi de Byblos, révèle les liens étroits établis entre la Phénicie et l'Égypte. Stèles de dieu guerrier provenant d'Amrit et stèle de Yehawmilk, roi de Byblos (ancienne collection De Clercq). Trône d'Astarté (IIe s. av. J.-C.). Le long du mur du fond de la salle sont alignés les monuments araméens provenant de Syrie intérieure. Ivoires araméens et phéniciens (vitrine 1); *ivoires d'Arslan Tash*** (vitrine 2), de Zakir; de Tell Ahmar, guerrier araméen, trois reliefs d'Halaf, deux stèles de Neirab. Côté Rivoli : bronzes de l'époque romaine; statuettes de Jupiter héliopolitain honoré à Baalbek à l'époque romaine (vitrine 6). Sont présentés des objets provenant de Doura Europos, citadelle romaine sur le moyen Euphrate à l'époque parthe (IIIe s. av.-IIIe s. apr. J.-C.). Statuette d'Aphrodite à la tortue. Fresque représentant un *chasseur à cheval** poursuivant des onagres (194 apr. J.-C.).

Salle 17 : Palestine et Transjordanie

À l'époque des royaumes araméens naquirent de petits royaumes : la première monarchie israélite et les royaumes de Moab et Édom en Transjordanie.

On verra la *stèle de Mesha, roi de Moab***, rédigée pour commémorer la victoire du souverain sur Israël, en 840 av. J.-C. Céramiques et objets usuels découverts à Tell el Far'ah, ancienne Tirsa, première capitale du royaume israélite du Nord.

Salle 18 : le Levant aux IIIe et IIe millénaires av. J.-C.

Le vaste ensemble des pays du Levant vit éclore de nombreux royaumes fort différents les uns des autres. Cette salle rassemble les monuments de différents sites fouillés par des missions françaises : Byblos, qui accueillit les Égyptiens dès le IIIe millénaire (fouilles Montet et Dunand); Mishrité Qatna (fouilles du Mesnil du Buisson), royaume Amorite très prospère, et surtout Ras Shamra, ancienne Ugarit (fouilles Cl. Schaeffer). Ugarit, avec son port découvert à Minet el Beida, connut une grande prospérité au IIe millénaire av. J.-C. grâce au commerce que la ville entretenait avec l'Égypte, Chypre, la mer Égée et tout le Moyen-Orient.

On remarquera la *stèle de Baal au foudre****, où le dieu brandit une lance garnie de feuillages qui symbolise son pouvoir bénéfique. La *patère de la chasse***, qui représente un prince sur son char lancé au galop, révèle l'influence de l'art égyptien. Bronzes, faïences, vases d'albâtre en provenance de Ras Shamter. Les *textes d'Ugarit*** sont d'un intérêt exceptionnel, car ce sont les premiers témoins de l'alphabet (écriture cunéiforme), qui reçut ensuite sa forme définitive en Phénicie. Couvercle mycénien d'ivoire avec déesse de la fécondité nourrissant deux bouquetins dressés ; boîtes à fard en ivoire ; céramique chypriote et mycénienne. Pectoral d'or provenant de Byblos (vers 1800 av. J.-C.). Bronzes syriens du IIe millénaire de provenances diverses. Vitrines présentant les *fouilles de Meskéné* (ancienne Émar), sur le haut Euphrate. Terres cuites, maquettes architecturales. Tête divine du Djabboul en basalte. Aux murs, reliefs plus récents rapportés par la mission Renan.

Salle 19 : Chypre

L'île de Chypre fut célèbre par ses gisements de cuivre. Sa culture artistique, très originale, appartient autant au monde pré-hellénique puis hellénique qu'à l'Orient en raison de sa situation géographique et de ses relations commerciales avec la Phénicie. On verra surtout ces influences dans la céramique et dans l'orfèvrerie.

Au centre, monumental *vase d'Amathonte*** creusé dans un bloc calcaire, destiné à la réserve d'eau lustrale d'un sanctuaire (Ve s. av. J.-C.). Autour de la salle, statues chypriotes du VIe au IIIe s. av. J.-C. (grande statue de femme de Tricomo ; sphinx ailé à tête de femme de Marion ; statue d'homme de Dali). Côté rue de Rivoli, ensemble de vases de Vounous en céramique rouge lustrée (fin IIIe millénaire ; fouilles Schaeffer-Dikaios). Dans les vitrines, céramiques et figurines de terre cuite, allant de l'ancien Bronze au IVe s. av. J.-C. La Patère en argent doré de Dali porte un décor égyptisant. Fouilles Cl. Schaeffer à Enkomi ; parures d'or ; statuette en bronze d'un personnage sur un trône ; tablette chypro-minoenne, dont l'écriture n'est pas encore déchiffrée (fin IIe millénaire).

Salle 20 : l'Islam

Le musée possède, entre autres, un bel ensemble d'objets d'art, céramiques, verreries, bronzes, ivoires, tapis et boiseries, qui résument l'évolution artistique de l'Islam du VIIe au XVIIe s. Directement issu de l'art hellénistique, influencé par l'Orient et le Proche-Orient, cet art musulman dégage peu à peu son originalité : essentiellement décoratif, art de couleur et de surface, il emploie l'arabesque, stylisation de la flore, la géométrie et l'épigraphie comme ornement. La faune et l'être humain, malgré les limitations coraniques et traditionnelles, s'y rencontrent parfois.

La *collection de faïences* comprend des pièces de Nishapour (VIIIe-XIe s.), de Perse (IXe-XIIIe s.), des faïences lustrées dont les reflets sont obtenus par des oxydes métalliques (Perse, Mésopotamie et Égypte), des vases d'Asie Mineure ornés d'un beau décor ornemental ou floral richement coloré.

L'*orfèvrerie* est représentée par des bronzes et des cuivres de Perse, Syrie et Égypte (XIIIe-XVe s.) : flambeaux à décor animalier (XIIIe s.), aiguières de cuivre ; des armes persanes et afghanes (XVIe-XVIIe s.) ; le *vase Barberini***, exécuté pour un sultan d'Alep et de Damas, et le *baptistère de Saint Louis***, grand bassin qui servit pour le baptême des enfants royaux dans la chapelle du château de Vincennes (Syrie, XIVe s.).

On verra également le *suaire Saint-Josse**, précieux fragment de soie à décor de chameaux et d'éléphants (Perse, Xe s.) ; le *tapis de la collégiale de Mantes****, magnifique ouvrage persan du XVIe s., de haute laine, composé comme les miniatures de l'époque.

Lampes de mosquées, bijoux et panneaux de bois taillés en bas-reliefs.

Salle 21 : l'Assyrie

Du IXe au VIIe s. av. J.-C., les rois assyriens entreprirent de nombreuses conquêtes de plus en plus lointaines, jusqu'à leur écrasement par les Mèdes et les Babyloniens en 612 av. J.-C. Ils édifièrent à Ninive et Nimrud de vastes palais de gouvernement, ornés de bas-reliefs évoquant les hauts faits du roi. Les portes étaient gardées par des colosses de pierre qui devaient assurer la stabilité du monde et défendre le palais.

À g., bas-reliefs du palais de Sargon à Khorsabad, illustrant le transport du bois par mer et voie terrestre, du Liban en Assyrie. Sur un socle, seuil de porte du palais d'Assurbanipal à Ninive. Tablettes assyriennes. Vitrines dans l'entrée de la salle : relief de bronze du roi assyrien Asarhaddon et de sa mère (VIIe s. av. J.-C.) ; tête de taureau en bronze de Khorsabad ; vases, amulettes ; statuette de bronze. Plaque en bronze de conjuration contre la Lamashtu, démon qui tourmentait les malades (ancienne collection De Clercq). Au mur, à dr., porteur de char de Sargon, stèle d'Ishtar d'Arbèles de Til Barsip. Vitrine centrale : fresques du palais de *Til Barsip* ; plaques de revêtement en bronze du palais de *Balawat*.

Salle 22 : l'Assyrie, palais de Nimrud et Khorsabad

La galerie est tapissée de grands bas-reliefs, dont quelques-uns proviennent du palais d'Assurnazirpal II à Nimrud (anc. Kalakh ; IXe s. av. J.-C.) et la plupart du palais de Sargon à Khorsabad (anc. Dur-Sharrukin ; VIIIe s. av. J.-C.). Sept grands bas-reliefs de Khorsabad représentent l'existence royale. Aux portes de la salle, les taureaux ailés à tête humaine et tiare divine qui défendaient les portes du palais. Ils étaient associés au héros Gilgamesh, qui se trouve au milieu de la salle en deux exemplaires en haut-relief, maîtrisant un petit lion pour montrer sa force. Stèle d'Arslan-Tash, Hadad sur un taureau.

▸ *Salle 23,* Khorsabad : relief représentant des dignitaires du palais de Sargon. ▸ Descendre à la *crypte Saint-Germain-l'Auxerrois.* Le fils de Sargon, Sennachérib, construisit à Ninive un palais qui fut détruit par son petit-fils Assurbanipal (668-627 av. J.-C.) pour en construire un autre encore plus somptueux. L'escalier est décoré de bas-reliefs provenant de ce palais (VIIe s. av. J.-C.) : scènes de chasses royales et de guerres. Le bas de l'escalier est flanqué de deux taureaux provenant du portail du temple d'Ishtar à Arslan-Tash (VIIIe s. av. J.-C. ; fouilles Thureau-Dangin).

ANTIQUITÉS ÉGYPTIENNES

Conservateur en chef : M. Jean-Louis de Cenival.
Accès : par Sully après avoir traversé les fossés du château médiéval.

L'étude de la civilisation égyptienne a commencé avec l'expédition qui accompagna Bonaparte en Égypte en 1798. Champollion fut le premier conservateur du Musée égyptien (ou Musée Charles X), fondé en 1826 pour abriter les grandes collections achetées par l'État. Depuis, le département n'a cessé de s'enrichir par les acquisitions et les dons, ainsi que par les fouilles, dont celles de Mariette au Sérapéum (1851), celles du Louvre et celles de l'Institut français d'Archéologie orientale du Caire à Abou Roach, Tôd, Médamoud, Assiout et Deir el-Médineh.

La visite des collections commence au rez-de-chaussée de l'aile S. de la Cour Carrée et se poursuit au premier étage.

REZ-DE-CHAUSSÉE

Salle 1 : la crypte *passage souterrain entre les Antiquités grecques et romaines et les Antiquités égyptiennes*

Le *sphinx**** colossal de granit rose provient du site de Tanis, en Basse-Égypte. Il est peut-être à l'image du roi Snéfrou (IVe dynastie). Il fut usurpé par les rois Mineptah (XIXe dyn.) et Chéchonq Ier (XXIIe dyn.). De part et d'autre du sphinx, deux bas-reliefs montrent Ramsès II offrant l'encens au dieu Harmakhis (Hor-em-akhet) sous forme de sphinx. Ils constituaient les côtés d'une chapelle, encadrant la stèle du songe de Thoutmosis IV (XVIIIe dyn.), placée entre les pattes du grand sphinx de Guiza.

Salle 2 : le mastaba d'Akhhétep

La chapelle funéraire du *mastaba d'Akhhétep**** (→ *encadré*), haut fonctionnaire de la Ve dyn., a été remontée sur des dalles modernes (partie non décorée). Elle provient de Sakkara, nécropole de la ville de Memphis qui fut un temps la capitale de l'Égypte et resta toujours une des plus importantes villes du pays.

Dans l'embrasure de la porte, à g., les tisserandes présentent les étoffes et sont récompensées par des colliers et diadèmes; à dr., les statues d'Akhhétep sont traînées vers la tombe. À l'intérieur, sur la paroi antérieure, à g., on assiste à l'élevage des bovins, aux moissons, à la chasse aux oiseaux au filet et à l'élevage des chèvres; à dr. figurent des joutes sur barques de papyrus, la chasse dans les marais, la pêche et la préparation du poisson. Des deux côtés, en bas, s'effectue la navigation funéraire. Sur la paroi latérale g., les porteurs d'offrandes et le bétail défilent devant Akhhétep assis face à son repas, au-dessus de la fente du serdab. Sur la paroi dr., Akhhétep assiste au banquet funéraire avec musique et danse.

Salle 3 : fin de la préhistoire et époque thinite

La culture de Nagada se développe au cours du IVe millénaire en deux phases (Nagada I : 4000-3500, Nagada II : 3500-3100 av. J.-C.). D'abord limitée à la Haute-Égypte, cette culture s'étend à partir de 3500 av. J.-C. au reste du pays. Elle est le produit de chasseurs sédentarisés, circulant sur de vastes territoires et en contact avec la Mésopotamie.

Ils font preuve d'une grande habileté technique dans le domaine de la céramique, représentée par des *vases rouges à bord noir** (résultant d'un procédé de cuisson). Ils excellent dans la taille des pierres dures, dans lesquelles ils façonnent *vases** et palettes à fard. Ils pratiquent également l'art du relief : le *poignard du Gebel Arak***, en silex et ivoire, porte un des plus anciens reliefs égyptiens connus (vers 3400-3300 av. J.-C.). Le manche est décoré d'un côté d'une scène de bataille sur terre et sur eau, et de l'autre de deux lions dressés, maîtrisés par un homme. Cette représentation est d'inspiration mésopotamienne. Dès cette époque apparaissent les principes du dessin égyptien, qui demeureront en usage jusqu'à l'époque romaine; ainsi, les personnages sont représentés avec le visage de profil et le corps de face. De forme géométrique ou en forme d'animaux, les palettes servaient à broyer le fard pour les yeux. Celles de grande dimension, ornées de reliefs, semblent avoir été uniquement votives. Elles commémorent une chasse – palette de la Chasse, une victoire – palette au Taureau, ou représentent des animaux – palette aux Canidés. Ces objets, retrouvés dans les tombes, attestent l'existence d'une croyance en une vie après la mort. Le défunt emporte tout ce qui est nécessaire à sa survie. La culture de Nagada dessine les traits fondamentaux d'un art au service de la religion. L'évolution artistique se précipite avec l'unification de l'Égypte et la fondation de la Ire dynastie.

L'époque thinite. La *stèle funéraire du roi Djet*** (ou Serpent), provenant de sa tombe à Abydos, est décorée du faucon Horus surmontant le nom du roi inscrit dans un cadre à l'image d'un palais. La parfaite maîtrise du relief s'affirme jusque dans les détails. Les signes hiéroglyphiques (faucon et serpent) ont reçu ici leur forme définitive, mais ce n'est qu'au début de la IVe dyn. que l'écriture hiéroglyphique sera fixée dans son ensemble.

Salles 4, 5 et 6 : l'Ancien Empire

Le passage de l'époque thinite à la IIIe dyn. est marqué par l'avènement de l'architecture de

Chronologie de l'Égypte ancienne

4000-3100 av. J.-C.	*Fin de la préhistoire : Nagada I, Nagada II*
3100-2700 av. J.-C.	*Époque thinite : Ire-IIe dyn.*
2700-2200 av. J.-C.	*Ancien Empire : IIIe-VIe dyn.*
2200-2060 av. J.-C.	*Première période intermédiaire : VIIe-X^{e} dyn.*
2060-1785 av. J.-C.	*Moyen Empire : XIe-XIIe dyn.*
1785-1555 av. J.-C.	*Deuxième période intermédiaire : XIIIe-XVIIe dyn.*
1555-1080 av. J.-C.	*Nouvel Empire : XVIIIe-XXe dyn.*
1080-664 av. J.-C.	*Troisième période intermédiaire et époque saïte : XXIe dyn. (dynastie tanite), XXIIe-XXIVe dyn. (époque libyenne), XXVe dyn. (dynastie éthiopienne)*
664-332 av. J.-C.	*Basse Époque : XXVIe dyn. (dynastie saïte), XXVIIe dyn. (domination perse), XXVIIIe-XXXe dyn. (dernières dynasties indigènes)*
332-30 av. J.-C.	*Époque grecque : dynastie lagide*
30-392 apr. J.-C.	*Époque romaine*
392-641 apr. J.-C.	*Époque copte ou byzantine*
641 apr. J.-C.	*Conquête arabe*

Égypte, Moyen Empire : Poignée de miroir au nom de Djeoutinakht.

pierre et la construction de la première pyramide de l'Ancien Empire. Le roi-dieu de l'Ancien Empire, entouré d'une cour de hauts fonctionnaires, règne sur un État fortement centralisé autour de Memphis. Sous la IVe dyn., Chéops et Chéphren édifient, à Guiza, leurs gigantesques pyramides. Leurs successeurs ramèneront ces tombeaux à des dimensions moins écrasantes. Autour des pyramides se serrent les mastabas des serviteurs de l'État, qui ont livré une abondante documentation sur la vie sous l'Ancien Empire. Alors qu'à Memphis l'art est en pleine éclosion, la province produit des œuvres médiocres.

Salle 4

▸ À l'entrée de la salle, la *stèle de la princesse Néfertéabet**** (IVe dyn.) illustre le thème du défunt devant son repas, très important dans l'art funéraire. Les couleurs, bien conservées, soulignent la grande délicatesse du relief et l'arrangement très équilibré des signes.

Le mastaba

Le mastaba est le tombeau des nobles de l'Ancien Empire. Masse rectangulaire aux murs inclinés, il évoque la forme d'un banc (arabe : mastaba). Construit en briques, puis en calcaire, il comprend deux parties : le caveau et la chapelle. Le caveau est la partie souterraine de la tombe, abritant le sarcophage et le matériel funéraire.

L'accès se faisait par un puits, bouché après les funérailles. La chapelle était destinée au culte du défunt. Les vivants venaient y déposer leurs offrandes. Le mort communiquait virtuellement avec la chapelle grâce à la fausse porte et à sa statue placée dans le serdab (pièce aveugle, parfois munie d'une fente étroite). Les parois de la chapelle étaient décorées de scènes de la vie quotidienne et de scènes d'offrandes. Par la vertu de l'image et par la présence de son matériel funéraire, le défunt retrouvait son cadre de vie familier et assurait sa survie dans l'au-delà.

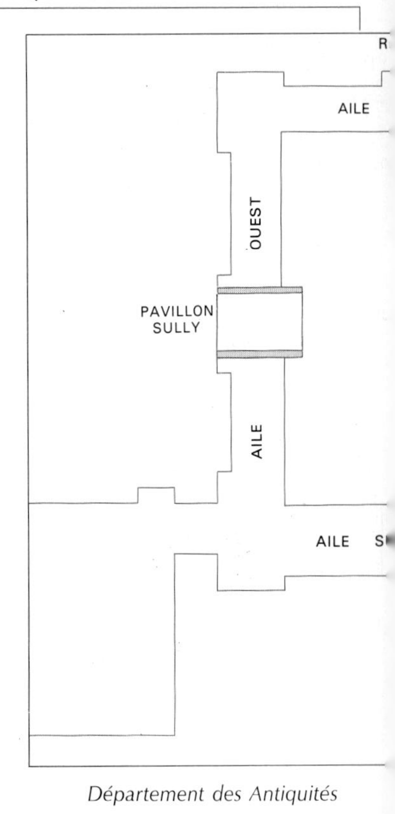

Département des Antiquités

1 La crypte
2 Mastaba d'Akhhétep
3 La préhistoire et l'époque archaïque
4, 5, 6 Ancien Empire, 2700-2200 av. J.-C.
7, 8 Moyen Empire, 2060-1785 av. J.-C.

Les *statues de Sépa et de son épouse Nésa*★ (IIIe dyn.) présentent une attitude qui se perpétuera durant des siècles. Si les attitudes admettent fort peu de variantes, en revanche l'artiste a la possibilité de réaliser des portraits individualisés. La sculpture, encore un peu maladroite, atteindra sa pleine maturité à la IVe dynastie.

Au centre de la salle : cuve de sarcophage en calcaire provenant d'Abou Roach (nécropole proche de Memphis). Elle est de forme rectangulaire, comme il est de règle sous l'Ancien Empire, et travaillée « en façade de palais ». Sous vitrine, très belle *tête du roi Didoufri*★★ en grès rouge, exposée avec sa statuaire et celle de membres de sa famille, provenant de sa pyramide d'Abou Roach. Dissé-

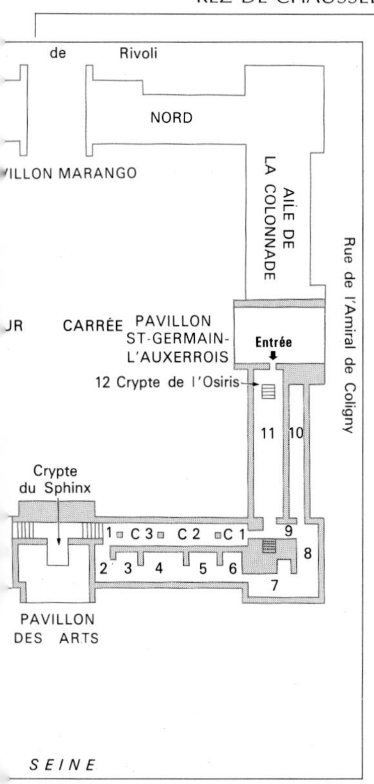

égyptiennes / rez-de-chaussée

9 Colosse de Séthi II
10 Galerie d'Alger
11 Galerie Henri-IV
12 Crypte de l'Osiris
C1, C2, C3 Antiquités coptes

minée dans la salle, statuaire de dignitaires de l'Ancien Empire. Au fond de la salle, la fausse porte de Méri (Sakkara, IVᵉ dyn.) montre le mort attablé devant ses offrandes. Les trois grandes colonnes de granit, à chapiteau palmiforme, ont été trouvées à Tanis et Sakkara et datent de l'Ancien Empire. L'une porte le nom d'Ounas (Vᵉ dyn.), les deux autres ont été usurpées par Ramsès II (XIXᵉ dyn.). Dès l'Ancien Empire sont édifiés des temples funéraires pour le culte du roi (contre la pyramide) et des temples divins où l'on honorait les dieux.

Salle 5

Le *scribe accroupi**** est la plus remarquable des statues de scribes de l'Ancien Empire. L'artiste a réussi un portrait d'un réalisme saisissant, qu'accentuent les yeux en cristal de roche, enchâssés dans du cuivre. Les vitrines sont consacrées au contenu de la tombe sous l'Ancien Empire. La nourriture y apparaît comme la préoccupation majeure. À la vaisselle et aux représentations de nourriture, on ajoute des « modèles » en pierre de serviteurs destinés à pourvoir aux besoins du mort : modèles de pétrisseur, de meunière. Les simulacres d'oies troussées et de pièces de viande remplacent efficacement les offrandes que les vivants omettent d'apporter. Le mort pense aussi à perpétuer son confort dans l'au-delà (appuis-tête), à se parer (bijoux) et à exercer ses fonctions (matériel de scribe, armes).

Salle 6

À dr. de l'entrée, bas-relief très réaliste montrant des Libyens affaiblis par la famine. La statue en bois d'un couple anonyme, dont les mains s'entrelacent tendrement, traduit de manière émouvante les sentiments qui unissent les deux époux. Peinture sur limon du mastaba de Méthéti évoquant des scènes de la vie quotidienne.

Salles 7 et 8 : Moyen Empire (XIe-XIIIe dynasties)

Le Moyen Empire débute avec la réunification de l'Égypte par Montouhotep Ier, qui fonde la XIe dyn. Il met fin à une période de troubles sociaux et économiques qui a duré deux cents ans (première période intermédiaire). La XIIe dyn., qui réorganise le pays et rétablit la prospérité, se termine par l'effondrement

Les dynasties royales

Ire dynastie	*3100-2850* av. J.-C.
IIe dynastie	*2850-2700* av. J.-C.
IIIe dynastie	*2700-2620* av. J.-C.
IVe dynastie	*2620-2500* av. J.-C.
Ve dynastie	*2500-2350* av. J.-C.
VIe dynastie	*2350-2200* av. J.-C.
VIIe-Xe dynastie	*2200-2060* av. J.-C.
XIe dynastie	*2060-1990* av. J.-C.
XIIe dynastie	*1990-1785* av. J.-C.
XIIIe-XVIIe dynastie	*1785-1555* av. J.-C.
XVIIIe dynastie	*1555-1305* av. J.-C.
XIXe dynastie	*1305-1185* av. J.-C.
XXe dynastie	*1185-1080* av. J.-C.
XXIe dynastie	*1080-946* av. J.-C.
XXIIe dynastie	*946-820* av. J.-C.
XXIIIe dynastie	*820-740* av. J.-C.
XXIVe dynastie	*740-730* av. J.-C.
XXVe dynastie	*730-664* av. J.-C.
XXVIe dynastie	*664-525* av. J.-C.
XXVIIe dynastie	*525-404* av. J.-C.
XXVIIIe-XXIXe dynastie	*404-380* av. J.-C.
XXXe dynastie	*380-342* av. J.-C.

À ne pas manquer

Rez-de-chaussée
Sphinx de Tanis, IVe dyn. ou XIIe dyn. (crypte).
Mastaba d'Akhhétep, Ve dyn. (salle 2).
Stèle de Néfertéabet (salle 4).
Scribe accroupi, Ve dyn. (salle 5).
Groupe sculpté de Toutankh-amon et du dieu Amon, XVIIIe dyn. (galerie Henri-IV).
Bas-relief de Sethi Ier, XIXe dyn. (galerie Henri-IV).
Icône du monastère de Baouit, VIe s.-IXe s. (salle 3 de l'Art copte).

Premier étage
Buste colossal d'Aménophis IV Akhenaton, XVIIIe dyn. (palier de l'Escalier égyptien).
Statuettes féminines du règne d'Aménophis III (salle B).
Tête Salt et tête de princesse amarnienne, XVIIIe dyn. (salle D).
Vitrine de bijoux et d'orfèvrerie, XIIe dyn.-XXIIe dyn. (salle E).
Statue de Karomama, XXIIe dyn. (salle F).
Vitrine de petits bronzes, troisième période intermédiaire (salle F).

du pouvoir royal, préludant à une nouvelle période de troubles. Les souverains du Moyen Empire introduisent le dieu Amon de Thèbes au premier rang des divinités égyptiennes. L'art accompagne le brillant développement de la civilisation. Le relief est finement ciselé dans la pierre. La statuaire privée en pierre, souvent de petite dimension, inaugure un nouveau type qui connaîtra un vaste succès : la statue-cube. La statuaire royale n'idéalise plus les portraits des souverains. Les traits ne sont pas figés dans une éternelle jeunesse, mais accusent le poids des ans et des soucis.

Salle 7

Bloc de Seankhkarê Montouhotep★ (XIe dyn., Tôd) avec de beaux portraits du dieu Montou et de la déesse Tanent, l'une de ses deux épouses, rehaussés par les coiffures et les parures délicatement travaillées. *Linteau de porte*★ sur lequel figure Sésostris III (XIIe dyn., Médamoud) sacrifiant au culte de Montou. Les deux *statues de Sésostris III*★ en diorite (Médamoud) rappellent l'image du roi représenté sur le linteau. Sous vitrine sont exposées des têtes royales du Moyen Empire, parmi lesquelles se détachent les *têtes de Sésostris III*★ et d'*Amenemhat III*★ (XIIe dyn.). Statue en bois de Hapidjefai, une des plus grandes statues funéraires du Moyen Empire. Petite statuaire du Moyen Empire, dont la statuette de Iay. Le *Trésor de Tôd :* il s'agit des dépôts de fondation du temple du Moyen Empire, au nom d'Amenemhat II. Une série de cérémonies précédaient la construction des temples. Au cours de celles-ci, on enfouissait dans un angle du monument des objets, dont certains utilisés pour la construction. À Tôd, ils consistaient en quatre coffres de bronze remplis de lingots d'or et d'argent, de morceaux de lapis-lazuli et surtout de coupes en argent au décor égéen, indiquant l'origine étrangère du trésor.

Salle 8

Stèle-chapelle de Senousret (XIIe dyn.), véritable chapelle funéraire en réduction, décorée de scènes de la vie quotidienne et de la navigation funéraire. Torse de la reine Sobeknéferou, dernière souveraine de la XIIe dyn., coiffée du némès.

Salle 9

Grand sphinx du Moyen Empire, usurpé à la XIXe dyn. par Ramsès II et Mineptah. Statue colossale du roi Séthi II (XIXe dyn.), trouvée dans la cour du temple de Karnak, en grès rose.

▸ *Salle 10 : la galerie d'Alger.* Elle est réservée à l'atelier d'enfants. Les jeunes y sont initiés à la civilisation pharaonique. *(Renseignements et réservation auprès du Service d'action culturelle, ☎ 40.20.51.77.)*

Salle 11 : galerie Henri-IV

La galerie Henri-IV a été construite par Louis Le Vau et décorée par Percier et Fontaine. Au début de la galerie, les monuments sont disposés de façon à évoquer la cour d'un temple. La porte d'entrée, qui se découpait dans le pylône d'accès au temple (construction monumentale formée de deux môles), est marquée par un montant de porte provenant de Coptos (Haute-Égypte). Il est au nom de Thoutmosis III (XVIIIe dyn.), représenté en train d'offrir des fleurs et des canards. La cour était parfois fer-

La révolution d'Amarna

Aménophis IV Akhenaton, fils d'Aménophis III, entreprend une révolution religieuse, qui se limitera à la durée de son règne (1372-1354 av. J.-C.). Il se voue au culte du disque solaire Aton et pourchasse Amon, le dieu dynastique et national, dont il fait marteler sans pitié les images et le nom. Puis il se résout à quitter Thèbes et à fonder une nouvelle capitale en Moyenne-Égypte, baptisée Akhetaton, plus connue sous son nom actuel d'Amarna.

Sous le règne de ce pharaon, considéré par ses successeurs comme un hérétique, l'art égyptien a subi des transformations formelles et iconographiques très importantes.

Le taureau Apis

Le taureau Apis (en égyptien Hapi) était l'incarnation vivante du grand dieu de Memphis, Ptah. Tout taureau n'était pas apte à remplir ce rôle : pour être déclaré Apis, il devait porter certains signes sur son pelage et sur sa langue. Après sa mort, l'Apis était momifié, déposé dans un grand sarcophage et enterré avec ses oushebtis dans une sépulture spéciale du Sérapéum. Cette nécropole souterraine des taureaux Apis a été découverte en 1851 par Mariette. Bien que le culte d'Apis remonte aux époques les plus lointaines, les plus anciens monuments trouvés dans le Sérapéum ne sont pas antérieurs au règne d'Aménophis II (XVIIIe dyn.); les plus récents ne sont pas postérieurs aux derniers Ptolémées.

mée par un second pylône, symbolisé plus loin par des montants de porte de Ramsès II. Le roi y présente des laitues au dieu Min. Devant les pylônes étaient dressés des *colosses* royaux comme celui d'*Aménophis III* (XVIIIe dyn.), dont sont conservés ici la *tête*** et les *pieds***, ou encore ceux de Sebekhotep IV (XIIIe dyn.) et de Ramsès II (XIXe dyn.), trouvés à Tanis. Contre le socle sont appuyées les statues du vizir Montouhotep (XIIe dyn.), provenant de la cour du temple de Karnak. Les deux pylônes étaient souvent reliés par des colonnes entre lesquelles étaient disposées des statues. On peut voir ici des éléments de colonnes, ainsi que huit *statues de la déesse Sekhmet***, au redoutable visage de lionne, une *statue de la déesse Nephtys** en diorite et un groupe de statues de dignitaires de la XXVIe dyn. (*statue-cube de Ouahibrê** et *statue de Nakht-horheb** agenouillé). À dr., près de la rangée des Sekhmet, le *groupe de Toutankh-amon****, protégé par le dieu Amon, ferme la cour. Malgré la mutilation du jeune roi, cette statue est l'un des plus beaux témoignages de l'art de la fin de la XVIIIe dynastie.

Dans le reste de la galerie sont exposés de grands monuments provenant de temples ou de tombes, à l'exception des carreaux de faïence, au nom de Séthi Ier, ayant décoré un palais du Delta (à g., embrasure de fenêtre). *Chapiteau hathorique***, décoré sur deux faces d'une tête de la déesse Hathor. Il provient de Bubastis et date peut-être du Nouvel Empire. Cuve du *sarcophage de Ramsès III*** (XXe dyn.), dont le couvercle se trouve à Cambridge. En forme de cartouche ovale, elle est décorée de représentations des déesses Isis (au pied) et

Nephtys (à la tête) et de textes religieux relatifs au voyage nocturne du soleil. À dr., quatre babouins adorant le soleil, appartenant au socle de l'obélisque de Ramsès II, toujours en place à Louxor et dont le jumeau se dresse place de la Concorde. À dr., sur le mur : *bas-relief* peint *du roi Séthi Ier**** recevant le collier magique des mains d'Hathor, sous son aspect de déesse de la nécropole thébaine. Il décorait un pilier de la tombe du souverain dans la Vallée des Rois. À g., pyramidions surmontant les chapelles funéraires thébaines, comportant des hymnes au soleil. Bas-relief de Karnak montrant l'intronisation de la Divine adoratrice Nitocris (XXVIe dyn.) et statue de la Divine adoratrice Chapenoupet figurée en déesse Isis, allaitant Horus (XXVe dyn.-XXVIe dyn.), provenant du temple de Médinet Habou. Les Divines adoratrices sont les épouses du dieu Amon. Investies de cette fonction sacerdotale, sous les XXVe et XXVIe dyn., elles prirent les attributs de pharaon, sans pour autant exercer un pouvoir politique. Les Divines adoratrices conservaient leur virginité, mais adoptaient une enfant qui leur succédait. Très belle *tête d'Hathor**, ayant appartenu à un chapiteau hathorique (IIIe s. av. J.-C.).

Au fond de la galerie, deux naos. Un naos est une petite chapelle abritant la statue divine dans le sanctuaire situé au fond du temple. Celui de g. a été consacré à Isis par Cléopâtre. A dr., le *naos, dédié à Osiris** par le roi Amasis, est décoré de représentations évoquant une grande partie du panthéon égyptien.

Salle 12, crypte de l'Osiris : Basse Époque

Elle réunit des œuvres funéraires, dont trois beaux *sarcophages* ptolémaïques : celui de *Djedhor**, où figure (au pied) le passage du soleil d'une barque à l'autre. Dans une niche, une statue de culte d'Osiris, dieu des morts et de la renaissance, fait face à une statue de son épouse Isis, pleurant.

Les vitrines sont en partie consacrées au culte des animaux sacrés. Réceptacles de la divinité, ils étaient l'objet d'une vénération poussée à l'extrême durant la Basse Epoque. Les nécropoles d'animaux se multiplient et se remplissent de momies. Au centre, momie de bélier et sarcophage en calcaire d'un ibis ; à g., momies de chat, de chien, de poisson et de crocodile. Au plafond, le *zodiaque* provenant du *temple de Dendara**. Aux constellations et aux décans connus des Égyptiens s'ajoutent les signes du zodiaque introduits à l'époque romaine.

▸ Il est conseillé de revenir vers la salle 9 pour poursuivre la visite des Antiquités égyptiennes.

Salles C1, C2, C3 : les Coptes (IVe s.-XIIe s. apr. J.-C.)

Les Coptes (du mot grec Aiguptioi) sont des Égyptiens, et le mot « copte » désigne une période qui va du IVe s. au XIIe s. apr. J.-C. Dans l'histoire de l'Égypte, qui fut le berceau du monachisme chrétien, l'art copte suit immédiatement la période romaine. Il évolue jusqu'au XIIe s., d'abord païen, puis se christianisant peu à peu. Il puise ses sources dans le monde méditerranéen et épisodiquement dans la tradition pharaonique. Ses plus belles réussites appartiennent aux domaines du tissage, de la peinture et de la sculpture. Trois salles sont consacrées à l'art copte.

Salle C1 : époque romaine et débuts de l'art copte

Mur d'entrée : deux linceuls peints à la cire représentent le mort. Sur l'un d'eux, il est guidé par Anubis. À dr., momie de femme particulièrement soignée. Un portrait du Fayoum est inséré entre les bandelettes, au niveau du visage. Il est peint à la cire. À g., le *voile d'Antinoé***, tissu imprimé au décor bachique. Sous vitrine, belle collection d'ivoires alexandrins. Sur le mur du fond, tentures illustrant les débuts du tissage copte : le Châle de Sabine, décoré de scènes nilotiques, et tenture aux amours vendangeurs (fin du IIIe s. apr. J.-C.). À g., statue d'Horus-cavalier, vêtu en légionnaire romain, transperçant de sa lance un crocodile (Ve s. apr. J.-C.).

Salle C2 : épanouissement de l'art copte (Ve-VIIe siècles)

À g., grand ensemble de tapisseries aux couleurs éclatantes avec scènes nilotiques, scènes de chasse, aigle ou danseuse. Elles sont toutes ornées de motifs de croix chrétiennes. Vitrine ayant trait à la technique du tissage copte ; vitrine où ont été reconstitués des costumes coptes. Sculptures sur le thème d'Aphrodite-Anadyomène et des sujets chrétiens. Peintures murales provenant du site monastique des Kellia (au sud-ouest d'Alexandrie).

Salle C3 : l'art copte, de la conquête musulmane au XIIe siècle

Reconstitution de la nef de l'église S. du monastère de Baouit (Moyenne-Égypte, VIe-IXe s.). Elle a été remontée avec les éléments d'origine et à la même échelle. L'extérieur et l'intérieur sont ornés de frises sculptées sur pierre et sur bois. De très beaux *chapiteaux-corbeille*** sont exposés à l'intérieur. Dans le chœur, magnifique *icône**** représentant l'abbé Ména protégé par le Christ.

L'escalier égyptien

En revenant sur ses pas, le visiteur empruntera l'escalier égyptien pour accéder aux salles égyptiennes du premier étage.

Sur la paroi g., blocs du temple de Karnak, constituant une partie des *Annales de Thoutmosis III** (XVIIIe dyn.). Le roi y raconte certaines de ses campagnes en Asie. Palier intermédiaire : belle *statue de Bès**, divinité protectrice, provenant du Sérapéum. Palier supérieur : magnifique buste d'un *colosse* osiriaque d'*Aménophis IV Akhenaton*,*** de la XVIIIe dyn. (→ *encadré*), donné par l'Égypte à la France en reconnaissance de sa participation au sauvetage des monuments de Nubie. *Chapelle funéraire** du scribe Ounsou et de son épouse Imenhetep (XVIIIe dyn.). Les peintures, sur limon, représentent surtout des scènes agricoles. La chapelle abrite une statue du couple, en grès. À côté, des vitrines illustrent l'agriculture et l'alimentation. On verra que le pain formait la base de l'alimentation. Les viandes rôties et les ragoûts accompagnés de légumes et de fruits composaient le reste de la nourriture. Les Égyptiens arrosaient volontiers leur repas de bière et pour les plus fortunés de vin. À noter une rare statue de cochon en bois.

Le *Sérapéum*. Un certain nombre de monuments rassemblés dans l'escalier proviennent du Sérapéum, situé à Sakkara. On verra une belle *statue d'Apis*** (→ *encadré*) en calcaire peint, plusieurs oushebtis (figurines des serviteurs funéraires), six des sphinx qui bordaient l'allée menant à l'entrée de la nécropole souterraine, les quatre vases canopes (vases contenant les viscères) d'un taureau mort sous Toutankhamon et les stèles commémorant l'ensevelissement des Apis, donnant le nom et la date de règne du roi sous lequel eut lieu l'événement. Ce sont des documents très importants pour la connaissance de la chronologie.

PREMIER ÉTAGE

Les vitrines murales sont numérotées à partir de la gauche et en faisant le tour de la salle. Ainsi, dans le texte, B4 désignera la 4e vitrine de la salle B.

Salle A : Moyen Empire (suite)

Le contenu des tombes privées exposé dans les vitrines montre que le matériel se diversifie. Les modèles en pierre de l'Ancien Empire ont cédé la place à des modèles en bois, de facture souvent très simple, aux activités plus variées et traitées de manière très vivante.

La tombe de Nakhti (XIIe dyn.) : la *statue du chancelier Nakhti*** en bois compte parmi les plus belles statues privées de l'époque. Son cercueil en bois peint, comme ceux de Sopi (salle 7), est décoré des Textes des Sarcophages. Les vitrines A3, A4, la vitrine voisine et le pupitre sous fenêtre contiennent son matériel : il s'agit de statuettes en bois rappelant sa grande statue, de vêtements, d'objets de toilette (rasoir, miroir), de sceptres en bois matérialisant son autorité, d'armes et d'outils. On remarquera un intéressant modèle de grenier mettant en scène des paysans qui engrangent le blé sous l'œil vigilant du scribe.

Sous vitrine, à g., la célèbre *Porteuse d'offrandes***, en bois peint, tient un canard dans une main, tandis que de l'autre elle maintient sur sa tête un coffret et une pièce de viande. Les *hippopotames en faïence***, au corps orné de lotus et de papyrus, faisaient revivre pour le mort les plaisirs de la chasse et de la pêche dans les marais. Ils nous font percevoir les Égyptiens comme d'excellents animaliers. Au fond de la salle, à g., les modèles de bateaux étaient destinés à la navigation funéraire. En effet, le mort effectuait un pèlerinage à la ville sainte d'Abydos, vouée au culte d'Osiris, où il bénéficiait des rites de renaissance osiriens.

Salles B, C, D, E : le Nouvel Empire

Salle B : œuvres de la XVIIIe dynastie jusqu'à la fin du règne d'Aménophis III

Les rois thébains de la XVIIe dyn. luttent contre des envahisseurs, les Hyksos, installés en Égypte pendant près d'un siècle. De cette dynastie sont parvenus au Louvre deux cercueils en bois appartenant à deux rois nommés Antef (vitrine B6). Le sarcophage abandonne la forme rectangulaire et devient momiforme. C'est à Ahmosis, descendant des Antef, qu'il revient de refaire l'unité de l'Égypte et de fonder la XVIIIe dyn., après avoir chassé les Hyksos. Dans la statue en calcaire du prince Iahmès, il faut peut-être reconnaître le futur Ahmosis. Ses successeurs, et plus particulièrement Thoutmosis Ier et Thoutmosis III, se lancent dans de nombreuses campagnes militaires en Nubie et au Proche-Orient, lesquelles aboutissent à la formation d'un vaste empire. Il déverse ses richesses en Égypte et favorise l'épanouissement d'une civilisation qui atteint son apogée. L'efficacité de l'armée est accrue par l'utilisation du cheval, introduit en Égypte peu avant la XVIIIe dyn. On verra dans la vitrine B1 des objets et un relief se rapportant à cet animal.

De la statuaire privée, on retiendra, au milieu de la salle, le groupe de Sennynéfer et de son épouse Hatchepsout, en grès peint, et la petite statue de Senenmout tenant une corde d'arpenteur, en quartzite rouge. Senenmout fut l'architecte du temple funéraire de la reine

Hatchepsout à Deir el-Bahari, chef-d'œuvre de l'architecture égyptienne. La vitrine B3 est dominée par les têtes royales de la XVIIIe dyn. Parmi elles, une *tête d'Aménophis III** en diorite. Cette vitrine renferme aussi de très jolies *coupes en faïence** bleue. Aménophis III (1402-1364 av. J.-C.) hérita d'un empire à son apogée. Le roi (dont on verra l'image reproduite par les peintures, sculptures et oushebtis de la vitrine B4) émit des séries de scarabées inscrits commémorant les grands événements de son règne. Il se consacra à une importante œuvre architecturale. Sous son règne, l'art se caractérise par un extrême raffinement, dont témoignent les statues de la vitrine B5 : statue de Setaou avec la déesse Nekhbet, groupe de Imennakht avec son épouse et son fils, statue du scribe Néferrenpet. La même délicatesse empreint les *statuettes**** de ses contemporains exposées dans la vitrine voisine : dame Touy, dame Nay, la reine Tiy, femme d'Aménophis III, la servante nue et les deux groupes, en albâtre et en schiste, du scribe Nebmertouf écrivant sous la protection du dieu Thot. Ce modelé soigné s'étend aux objets mineurs, tels que les trois ravissantes *cuillers à fard** dites « à la nageuse » (vitrine des cuillers à fard). Dans la vitrine B7, on peut voir un très bel exemple de *stèle funéraire**. Elle a été dédiée par Paser, chef du harem, au dieu Osiris.

Salle C : aspects de la vie quotidienne

Divers aspects de la vie quotidienne en Égypte sont évoqués, comme la mode, le mobilier, la musique, etc. La vitrine C2 permet de suivre l'évolution de la mode grâce à des sculptures, peintures et stèles. Sous l'Ancien Empire, les vêtements, tels ceux que porte le très beau couple formé par *Raherka et Merseankh**, sont sobres. Sous le Nouvel Empire, la perruque et le costume, d'une grande élégance, font preuve de beaucoup de recherche, ainsi qu'en témoigne la *statue de Piay***, portier du temple d'Amon. Les objets de toilette, réservés aux plus favorisés, sont très variés : miroirs, rasoirs, peignes, pincettes, etc. Les plus beaux d'entre eux sont exposés dans la vitrine voisine. On relèvera plus particulièrement une *boîte à onguent***, décorée d'une jeune femme chargée d'un bouquet de nénuphars et d'un vase.

Le défunt recréait dans sa tombe son univers familier, ce qui nous permet d'imaginer de façon précise le contenu d'une maison. Le mort s'environnait aussi bien des ustensiles domestiques les plus élémentaires (lampes en terre cuite, balais, nattes et corbeilles en vannerie), que des plus beaux spécimens de son mobilier (coffrets de rangement, chaises et tabourets en bois et appuis-tête pour reposer la tête durant le sommeil). La vitrine voisine renferme une très belle *chaise*★ en bois incrusté d'ivoire. À côté, les modèles de maison en terre cuite ou en calcaire nous donnent une idée du plan des maisons égyptiennes. Dans la vitrine C7, on verra une collection d'armes de combat de différentes époques : arcs, flèches, haches et poignards, ainsi que des reliefs et des peintures illustrant la chasse et la pêche. Activités nourricières lorsque la chasse aux oiseaux et la pêche sont pratiquées au filet par les paysans, elles deviennent le passe-temps favori des grands qui chassent au boomerang et pêchent au harpon. Les jeux, dont les Égyptiens étaient de grands amateurs, et la femme, sont évoqués dans deux vitrines situées à dr. de la salle. Jolie *figurine*★ en faïence bleue d'une concubine du mort. Les techniques de construction, la fabrication du verre et de la faïence, le travail du bois et de la pierre sont expliqués dans les vitrines groupées à dr. de l'entrée.

La musique accompagnait toutes les fêtes sacrées et profanes. L'instrument préféré des Égyptiens était la harpe (vitrine C6 et vitrine voisine qui abrite une *harpe trigone*★, pièce unique au monde). Après la harpe, les instruments les plus répandus sont la flûte et le hautbois, ou double-clarinette en bois (vitrine C6). Le luth et la lyre furent importés en Égypte sous le Nouvel Empire (vitrine C5 : séduisantes joueuses de luth animant cuillers à fard, coupes en faïence et coffret en bois). Le tambour et le tambourin donnaient le rythme, de même que les castagnettes et les claquoirs (vitrines C5 et C6). Sistres, crotales et cymbales complétaient la panoplie des instruments (pupitre sous fenêtre). On ne peut se faire une idée précise de la musique égyptienne, qui devait se situer entre la musique orientale et la musique africaine.

Salle D : la révolution amarnienne et la fin de la XVIIIe dynastie

Sous le règne d'Aménophis IV Akhenaton *(→ encadré)*, on assiste à une révolution religieuse et artistique, déjà amorcée par Aménophis III. On abandonne l'académisme et ses formes figées pour introduire le mouvement et une traduction réaliste du visage et du corps. Les artistes trouvent un nouveau canon en la personne d'Aménophis IV, qui inspire reliefs et sculptures reproduisant ses courtisans. L'art se rapproche de la nature, qui pourvoit au décor des palais amarniens.

À dr. de l'entrée, majestueuse tête d'une *princesse*★★★ de la famille royale, en calcaire peint. À g. de l'entrée : fragment d'un groupe assis, en pierre jaune, dont seul Aménophis IV est préservé, et beau *buste d'Aménophis IV*★

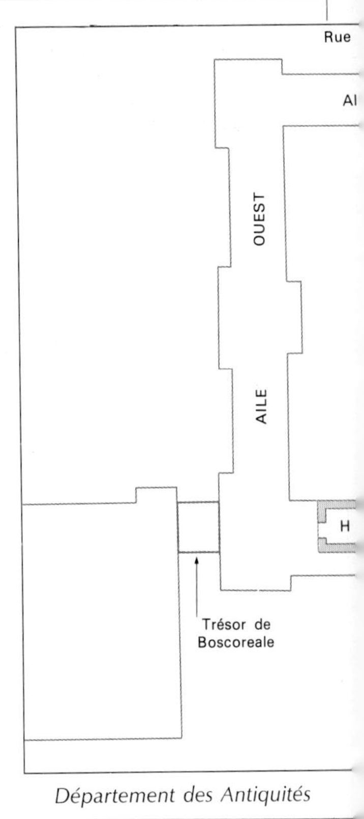

Département des Antiquités

A Moyen Empire (suite)
B, C, D, E Le Nouvel Empire
F La troisième période intermédiaire

en calcaire peint. Dans la vitrine D2 : des fragments de reliefs en grès montrent Aménophis IV et des membres de sa famille adorant Aton. Les rayons bienfaisants du disque solaire se terminent par des mains répandant la vie et la prospérité sur le roi. La vitrine à g., au fond de la salle, abrite un splendide *torse amarnien*** en quartzite, qui peut être attribué à Néfertiti, et la *statuette*** en calcaire peint du couple formé par Aménophis IV et la célèbre Néfertiti. Les autres objets concernent la fin de la XVIIIe dyn. et ses souverains Toutankh-amon et Horemheb. Petite plaque en ivoire sculptée et peinte d'un jeune prince (peut-être Toutankh-amon) cueillant du raisin. Vitrine D3 : délicate *tête*** en pâte de verre bleue ayant peut-être appartenu à une statue de Toutankh-amon. Au fond de la salle, près de la fenêtre, sont disposées deux statues en diorite d'Amon, dont une a été dédiée au dieu par Toutankh-amon. Les *reliefs du général Horemheb** proviennent de sa

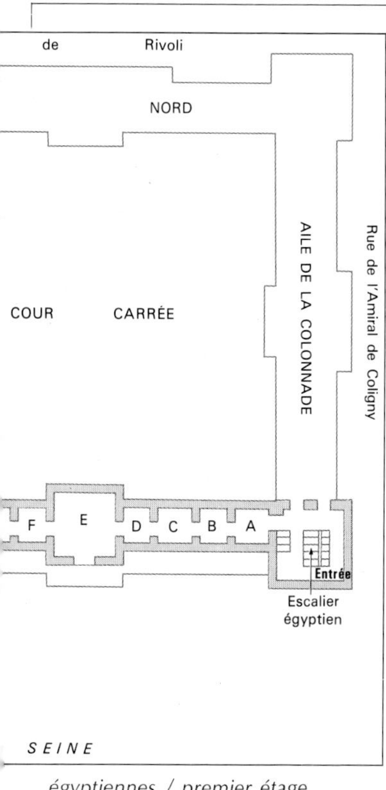

égyptiennes / premier étage

G Basse Époque
H Époques ptolémaïque et romaine

tombe de Sakkara. Devenu roi, Horemheb se fit creuser un hypogée dans la Vallée des Rois, à Thèbes. Sur l'un des reliefs, les Libyens, les Syro-Palestiniens et les Nubiens défilent devant Horemheb pour lui rendre hommage. Sur l'autre, on assiste aux funérailles du général, dominées par les douloureuses lamentations des pleureuses (vitrine D5). L'art de la fin de la XVIIIe dyn. est également illustré par les reliefs de la *tombe d'Imeneminet**, général en chef (vitrine D6). La statuaire est remarquablement représentée par la *tête Salt****. L'artiste a admirablement exprimé la force tranquille du personnage, dissimulée derrière l'ébauche d'un sourire. Elle est en calcaire peint en rouge, les cheveux ras sont noirs.

Salle E : époque ramesside (XIXe et XXe dynasties)
Horemheb désigne comme héritier un de ses généraux, nommé Ramsès, qui fonde la XIXe dyn. Son fils Séthi Ier et son petit-fils Ramsès II en sont les souverains les plus

brillants. Ils se dépensent sans relâche pour défendre un empire menacé par les Hittites. La XXe dyn. produit le dernier grand souverain de l'Égypte nationale, le pharaon Ramsès III. Ses successeurs, de Ramsès IV à Ramsès XI, ne sauront éviter le déclin de l'empire, puis le nouveau morcellement de l'Égypte. L'art, sous Séthi Ier, retrouve la perfection atteinte sous Aménophis III. Ramsès II introduit un nouveau style, qui se développe parallèlement à une activité architecturale débordante et empreinte de colossal. C'est un art moins parfait sur le plan technique, mais qui, tout en respectant les conventions fixées, jouit d'une plus grande liberté – notamment dans le relief en creux qui se généralise aux dépens du relief en saillie.

Dans la vitrine E1 sont rassemblés des portraits des souverains des XIXe et XXe dyn. Le village de Deir el-Médineh était habité par les artisans de la nécropole thébaine. Cette communauté est bien connue grâce à la préservation des maisons, rares exemples de l'architecture civile égyptienne, au contenu des tombes et aux centaines d'ostraca. On désigne par ostraca des tessons de calcaire sur lesquels on écrivait ou dessinait à peu de frais, le papyrus étant d'un usage limité car très coûteux. La vitrine placée à g., le long du mur, est remplie d'ostraca figurés sur lesquels les artistes ont laissé libre cours à leur inspiration et à leur fantaisie. La vitrine E2 présente la déesse Hathor et les divers aspects de son iconographie. Elle était adorée à Deir el-Médineh aux côtés de la déesse Mert Seger, empruntant la forme d'un cobra. La vitrine E3, consacrée à la prière, montre des stèles votives à oreilles qui permettaient aux divinités d'écouter les prières des artisans. Près des fenêtres et au centre, on peut admirer trois belles stèles ramessides : la *stèle de Dédia**, faisant offrande à la triade osirienne (Osiris, Isis et leur fils Horus), la *stèle de Hormin**, à qui Séthi Ier remet l'or de la récompense, et la *stèle de Rourou**, grand intendant du roi. La statuaire privée, en pierre, est répartie dans différentes vitrines. Intéressante *statue-cube** en calcaire du scribe Touroi. Une vitrine réunit les statuettes en bois de l'époque.

On remarquera surtout un homme portant une *enseigne d'Amon** à tête de bélier et une *statue de la reine Ahmès Néfertari** (XVIIIe dyn.), dédiée par un artisan de Deir el-Médineh. Dans la vitrine E4 sont conservés le masque en feuille d'or qui couvrait le visage du prince Khaemouaset et les amulettes disposées sur sa momie. La sépulture de ce prince fut découverte par Mariette dans le Sérapéum de Memphis, car ce fils de Ramsès II, inhumé près des Apis, fut un grand prêtre de Ptah.

La magie

Les Égyptiens ont toujours eu recours à la magie pour se défendre de leurs ennemis et se protéger de la maladie. On s'adresse aux divinités protectrices Bès et Thouéris qui, par exemple, assistent la femme lors de l'accouchement, on se couvre d'amulettes aux effets bénéfiques ou encore on écrit au mort qui aurait tendance à troubler la quiétude des vivants.
À la Basse Époque, l'usage de la magie est très répandu. Les divinités panthées accumulent toutes sortes d'attributs redoublant leur efficacité. L'envoûtement, qui s'opère au moyen de figurines de cire, connaît un vif succès.
À la même période, on commence à sculpter les statues guérisseuses, dont le Louvre possède un très bel exemplaire en basalte.

La *vitrine de l'orfèvrerie****** groupe les plus beaux bijoux et pièces d'orfèvrerie du département, toutes époques confondues : manche de miroir (XIIe dyn.) en faïence ou amazonite (?) et or; bijoux au nom du roi Ahmosis (XVIIIe dyn.); patères en or et en argent, ornées de poissons, offertes par Thoutmosis III au général Djéhouti (XVIIIe dyn.) et collier « aux poissons » de la XVIIIe dyn.; bijoux du vizir Paser; pectoral et bague « aux chevaux » de Ramsès II; collier de Pinedjem Ier, roi de la XXIe dyn., et triade d'Osorkon II (XXIIe dyn.) en or massif et lapis-lazuli représentant Osiris, Isis et Horus; bijoux en or et en argent de l'époque hellénistique et romaine.

Près de la fenêtre, très rare statuette, en argent plaqué d'or, d'un roi de l'époque ramesside.

Salle F : la troisième période intermédiaire (XIe-VIIe s. av. J.-C.; XXIe-XXVe dynasties)

À Thèbes, le pouvoir est confisqué par les grands prêtres d'Amon, dont l'autorité s'étend sur le S. du pays. Le N. est contrôlé par une dynastie parallèle, établie à Tanis. Les XXIIe et XXIIIe dyn., libyennes, succèdent aux souverains de Tanis. Après le bref intermède de la XXIVe dyn., installée à Saïs dans le Delta, l'Égypte est conquise par les Éthiopiens, qui fondent la XXVe dyn.

Durant cette période, le travail des métaux, et plus particulièrement du bronze, relève d'une virtuosité extraordinaire aussi bien dans la statuaire — admirable *statue* de la Divine adoratrice *Karomama******, incrustée d'argent, de cuivre et d'or, statues des dignitaires Pachasou (XXIIe dyn.) et Padiimen (XXVe dyn.) et du dieu Horus à tête de faucon — que dans les objets de petite dimension : sous *vitrine******, sistre incrusté d'or de la musicienne d'Amon, Henouttawy, boîte au nom de la Divine adoratrice Chapenoupet II, sphinx du roi Siamon (XXIe dyn.) présentant une table d'offrandes, égide à tête de lionne en électrum (XXIIe dyn.) et groupe du roi Taharqa (XXVe dyn.) offrant du vin au dieu Hémen.

Dans la tombe, on n'emporte plus les objets et meubles familiers, mais on s'entoure uniquement d'un matériel en rapport avec la renaissance. Les oushebtis, serviteurs funéraires prêts à remplacer le mort dans les travaux qu'il peut avoir à accomplir, sont toujours présents (vitrine à g. près de l'entrée). L'art funéraire se distingue par ses stèles en bois stuqué et peint montrant le défunt devant le dieu solaire Rê-Horakhty : *stèle du harpiste*★ (vitrine F1) et *stèle de la dame Taperet*★★ (sous vitrine, au centre de la salle) ; et par ses cercueils d'une exécution très soignée : *planche de protection de momie*★ et cercueil de Soutymès (vitrine F6 et embrasure de fenêtre). À côté, statuette★★ d'une femme nue, chef-d'œuvre de la sculpture en ivoire.

Salle G : Basse Époque
(VIIe-IVe s. av. J.-C. ; XXVIe-XXXe dynasties)

La dynastie saïte (XXVIe dyn.) chasse les Éthiopiens et reconstitue l'unité du royaume. L'art se tourne résolument vers les périodes précédentes qu'il copie fidèlement. Dans la statuaire, certains visages sont très détaillés et reproduisent l'individu tel qu'il est, sans flatterie. Au centre de la salle, beau *buste d'homme âgé*★, en schiste, et *statue de Iahmèssaneith*★.

La renaissance saïte est brutalement interrompue par l'invasion des Perses, qui annexent l'Égypte et fondent la XXVIIe dynastie. Les Égyptiens restent fermés à l'influence perse qui laisse peu de traces dans l'art de cette époque, illustré par une stèle d'Apis, datant de l'an 34 de Darius, et par une tête de grand personnage perse (vitrine G7).

Le pays recouvre son indépendance pour une soixantaine d'années, de la XXVIIIe à la XXXe dyn., puis retombe une seconde fois sous la domination perse, qui se terminera avec la conquête de l'Égypte par Alexandre le Grand. Sous la XXXe dyn., les artistes façonnent des statues dans des pierres très dures, auxquelles ils confèrent un poli incomparable : *têtes de vieillards*★ en quartzite et en schiste (sous vitrine, à dr. au fond de la salle). Dans la vitrine G5, intéressants modèles de sculpture du IVe s., dont un torse de Nectanébo Ier (XXXe dyn.), à rappro-

cher du grand torse de ce roi, placé près de la fenêtre.
L'art du bas-relief du VIIe au IVe s. (vitrine G6) : relief en calcaire montrant la fabrication du parfum de lys provenant de la tombe de Pairkep (600 av. J.-C.) et relief figurant les vendanges et le foulage du raisin (IVe s.). Les artistes calquent attitudes et costumes des personnages sur ceux de l'Ancien Empire, sans toutefois en retrouver le trait sûr et précis. Les formes plus arrondies donnent une impression de douceur.

Le dictionnaire des dieux (vitrines G1 à G3) : en haut, les dieux, classés par ordre alphabétique, apparaissent sous leurs aspects les plus fréquents. En bas, présentation des animaux avec indication des divinités qu'ils représentent. Le chat, animal sacré de la déesse chatte Bastet, fournit matière à une belle *collection de bronzes*★ (vitrine à g., au centre de la salle).

La vitrine G4 et sa voisine sont consacrées à la magie (→ *encadré*). La *statue Tyskiewicz*★★, au corps gravé de textes magiques et aux bras tenant une stèle dite « d'Horus-sur-les-crocodiles », était installée dans un lieu public. La statue avait le pouvoir de transformer l'eau qui coulait sur elle en remède contre les morsures de scorpions et de serpents.

Salle H : époques ptolémaïque et romaine

De 332 av. J.-C. à 392 apr. J.-C., Alexandre le Grand confie l'administration de la province nouvellement conquise à Ptolémée, fils de Lagos, et fonde la ville d'Alexandrie, nouvelle capitale de l'Égypte. Ptolémée s'arroge les attributs de pharaon et donne son nom à la dynastie lagide ou ptolémaïque. Trois cents ans plus tard, la dernière souveraine lagide, Cléopâtre VII, séduit successivement César et Antoine, avant d'être défaite, en 30 av. J.-C., par Auguste. C'est le début de l'occupation romaine. L'art est un mélange de styles, de techniques et de thèmes iconographiques égyptiens, grecs et romains.

Les souverains grecs et romains sont évoqués principalement par une stèle représentant Cléopâtre, habillée en pharaon, qui fait une offrande à la déesse Isis allaitant son fils Horus (datée du 2 juillet 51 av. J.-C.), et par un buste d'empereur romain avec les insignes de pharaon (peut-être Néron, Ier s. apr. J.-C.), vitrine H1. Les sculptures de l'époque ptolémaïque sont groupées dans une vitrine proche de l'entrée. À côté, on remarquera un beau torse de la déesse Isis. Dans la vitrine H2 : *faïences dites de Mit Rahineh*★, au décor hellénistique, et poteries romaines ; figurines en terre cuite d'époque romaine, produites sur une grande échelle. L'art funéraire voit l'introduction de masques en stuc ornés du visage du défunt et de *portraits en bois*** peints à la cire, dits « du Fayoum » (d'après le lieu de leur principale découverte), destinés à couvrir la tête de la momie.

Le côté g. de la salle est consacré à l'*écriture :* le scribe (matérialisé par une statue de la Ve dyn.) est présent à tous les échelons de l'administration égyptienne. Il est entouré ici de son matériel : palette en bois, godet en faïence et coffret où il rangeait ses papyrus (vitrine précédant la vitrine H3). Ce personnage était placé sous la protection de divinités : Thot, dieu de la sagesse et de l'écriture aux multiples attributions ; la déesse Séchat, aux compétences limitées à l'écriture ; le sage Imhotep (architecte de Djéser, IIIe dyn., divinisé à la Basse Époque), considéré comme le patron des sciences. Les supports de l'écriture sont variés : papyrus pour les documents importants, mais aussi tablettes de bois, pots cassés, éclats de pierre et même cailloux. On peut voir ensuite les instruments utilisés pour les calculs et les mesures (vitrine H3). Le grand pupitre voisin retrace l'évolution de l'écriture, tout en expliquant quelques rudiments de grammaire.

L'embaumement et l'enterrement (côté dr. de la salle) : la préservation du corps, indispensable à la survie, était confiée aux embaumeurs, qui avaient pour patron le dieu Anubis à tête de chien (vitrine H5). Ils plongeaient le corps dans du natron sec, lui appliquaient divers onguents et huiles odorantes, puis l'enveloppaient de bandelettes. Entre les bandelettes étaient glissés amulettes protectrices et scarabée de cœur (vitrines H5 et H6 et momie sous vitrine voisine). La momie était ensuite rendue à la famille, qui procédait à l'enterrement. Celui-ci est reconstitué, dans les vitrines face à la vitrine H7, d'après les représentations du *Livre des Morts*** de Nebqued (vitrine H7). En tête du cortège défilaient le sarcophage et le matériel funéraire. Avant la mise au tombeau, les prêtres accomplissaient sur la momie le rituel de l'ouverture de la bouche et des yeux, ayant pour but d'insuffler à nouveau la vie dans le corps (vitrine à dr. de l'entrée). Les pleureuses, représentées par une curieuse statue en terre cuite peinte (vitrine H6), accompagnaient les funérailles de cris de douleur perçants.

ANTIQUITÉS GRECQUES, ÉTRUSQUES ET ROMAINES

Conservateur en chef : M. Pasquier. Accès : par la pyramide.

Quelques statues provenant des collections royales ont formé le premier musée des Antiques, ouvert en 1800, mais le département a pris sa forme actuelle en 1849. On a ouvert récemment les appartements d'été d'Anne d'Autriche pour présenter des œuvres romaines et étrusques. La visite des collections grecques, étrusques et romaines commence au rez-de-chaussée, avec les sculptures, et se poursuit au premier étage, avec les vases, les terres cuites et les bronzes.

REZ-DE-CHAUSSÉE

Se diriger vers l'aile Denon, prendre l'escalier Denon qui débouche dans la salle du Manège, où sont rassemblés des marbres de couleur : le *Sénèque mourant* et les *Prisonniers barbares* de la collection Borghèse, les grandes vasques Albani, la *Minerve* Mazarin, etc. ; traverser le vestibule Denon, que décorent le Candélabre Farnèse, le Bacchus Richelieu et l'Adonis Mazarin. La galerie Denon s'ouvre à droite.

La galerie Denon

Des *sarcophages* (IIe s., IIIe s. apr. J.-C.) : Déméter et Triptolème, Phèdre et Hippolyte, *Apollon et Marsyas*★, Achille chez Lycomède, Légende d'Actéon, et quelques statues romaines (Ie s., IIe s. apr. J.-C.) : Antinoüs en Aristée, Tiridate, roi d'Arménie, Sabine... accueillent le visiteur.
▸ Contournant l'escalier Daru, il faut descendre quelques marches pour atteindre la salle de la Grèce archaïque, installée dans l'ancien vestibule des Prisonniers barbares.

Salle 1 : la Grèce archaïque (VIIe-VIe s. av. J.-C.)

La période archaïque s'étend de la fin du VIIe s. au début du Ve s. av. J.-C. La sculpture s'est consacrée surtout alors à deux types : le kouros, homme nu, debout, les bras baissés, la jambe gauche portée en avant; et la koré, femme drapée debout. Leur développement marque un progrès continu dans le rendu de la draperie et du nu. À côté du kouros et de la koré, on rencontre quelques autres types (statues assises, etc.), dont le plus important est le motif du cavalier, création grecque. En même temps, le bas-relief s'efforce, lui aussi, à l'exactitude de l'anatomie et de l'expression. Dans cet art jeune et vivant, on a distingué trois

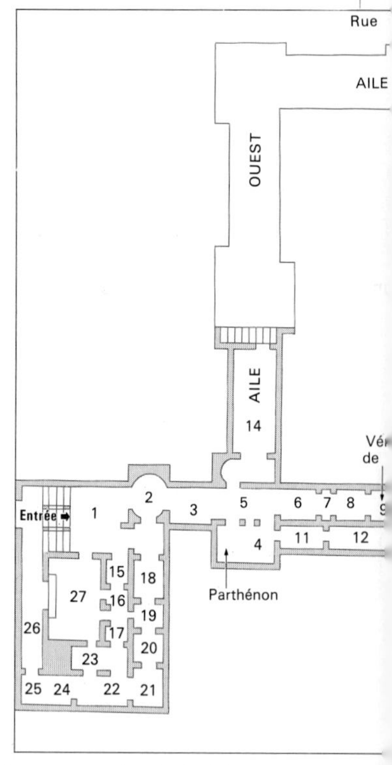

Département des Antiquités grecques,

Antiquités grecques

1 Époques orientalisante et archaïque
2 Début du Ve s. av. J.-C.
3 Olympie
4, 5 Originaux de la seconde moitié du Ve s. et début du IVe s. av. J.-C.
6, 7 Originaux du IVe s. av. J.-C.
8 Originaux du IIIe s. av. J.-C.
9 Originaux du IIe s. av. J.-C.
10 Originaux des IIe et Ier s. av. J.-C.
11 Répliques d'œuvres du Ve s. av. J.-C.
12 Répliques d'œuvres des Ve-IVe s. av. J.-C.
13 Répliques d'œuvres du IVe s. av. J.-C.
14 Salle des Caryatides : répliques d'œuvres

grands courants : le style dorien, le style ionien et le style attique.

*Héra de Samos**** (style ionien, VIe s.). Ephèbe vêtu de l'himation et tenant une fleur (stèle funéraire ; style attique, VIe s.) ; Tête d'homme (Athènes, VIe s.) ; trois Femmes assises de la nécropole de Milet (style ionien, VIe s.) ; *Cavalier vainqueur**** (don Rampin ; style attique, VIe s.) ; Agamemnon, Talthybios et Épéos (Samothrace, VIe s.) ; Apollons ou kou-

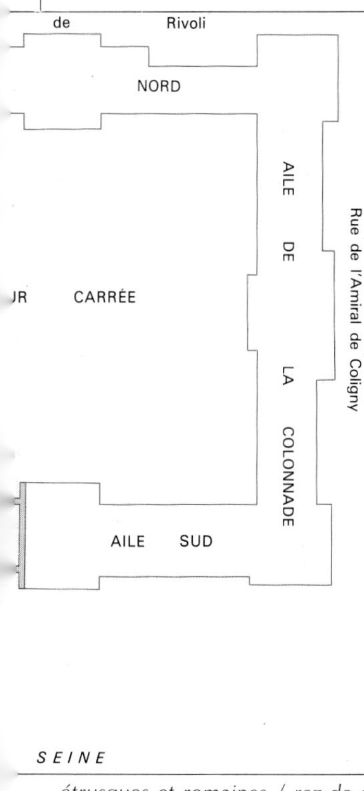

étrusques et romaines / rez-de-chaussée

du IVe s. av. J.-C. et de l'époque hellénistique
Antiquités étrusques
15, 16, 17
Antiquités romaines
18 Époques républicaine et julio-claudienne
19 Époque julio-claudienne
20 Époques julio-claudienne, flavienne et antonine
21 Époques des Antonins et des Sévères
22 IIIe et IVe s. apr. J.-C.
23 Antiquité tardive
24 Collections chrétiennes d'Afrique du Nord
25 Collections chrétiennes de Syrie
26 Salle des Mosaïques ou de la Civilisation romaine
27 Cour du Sphinx

roï archaïques d'Actium, de Paros et de Milet ; femme drapée, dite *Dame d'Auxerre**** (style dorien, fin du VIIe s.) ; *Dinos*** avec support pour mélanger l'eau et le vin : il s'agit là d'une œuvre du peintre de la Gorgone (600-590 av. J.-C.), provenant d'Étrurie ; amphore avec représentation de danses, de chœur et d'un sphinx.

Sur les murs de la salle sont exposés les reliefs du temple d'Assos (près de Troie, Asie Mineure), qui représentent des files d'animaux et de centaures, des scènes de banquet, la lutte d'Héraclès contre Triton ; elles remontent au VIe s. av. J.-C., de même que le lion de la nécropole de Milet.

▸ Depuis la salle archaïque, trois itinéraires possibles s'offrent au visiteur : un itinéraire grec, un itinéraire étrusque, un itinéraire romain.

Salles 2 à 14 : itinéraire grec

Pour l'itinéraire grec, deux choix : le circuit des originaux d'une part, le circuit des copies d'autre part.

Le circuit des originaux

Sortant vers la g., le visiteur gagne la *rotonde d'Anne d'Autriche* : là sont exposées des œuvres de premier plan, à la frontière de l'art archaïque et des débuts de l'art classique.

Salle 2 : début du Ve s. av. J.-C. Le visiteur est accueilli par l'*Apollon de Piombino**, précieux témoignage de la grande statuaire de bronze ; les conventions archaïques demeurent, mais le modelé s'est adouci et l'harmonie des lignes annonce le classicisme. Le *relief de Pharsale***, dit l'Exaltation de la fleur, garde encore la fraî-

---

À ne pas manquer

La Grèce

Rez-de-chaussée. Salle 1 : la Dame d'Auxerre (VIIe s. av. J.-C.) ; l'Héra de Samos (VIe s. av. J.-C.) ; le Cavalier Rampin (VIe s. av. J.-C.). Salle 3 : sculptures du temple de Zeus à Olympie (Ve s. av. J.-C.). Salle 5 : fragments du Parthénon (Ve s. av. J.-C.). Salle 9 : tête de l'Aphrodite de Cnide (IIe s. av. J.-C.) ; la Vénus de Milo (IIe s. av. J.-C.).

Palier du premier étage de l'escalier Daru : la Victoire de Samothrace.

Rome

Rez-de-chaussée. Salle 1 : le portrait en bronze d'Hadrien (Ier s. apr. J.-C.). Salle 23 : la mosaïque de Kabr Hiram (575 apr. J.-C.). Salle 27 : la mosaïque des Saisons.

Premier étage. Salle 1 : le trésor de Boscoreale (Ier s. apr. J.-C.).

Héra de Samos. La femme drapée debout (Koré), l'un des thèmes de la Grèce archaïque.

cheur de l'archaïsme, tout en y mêlant souplesse et aisance des gestes propres à l'art classique (fin ve s.). Ce sont ensuite les *reliefs de Thasos***, qui ornaient le passage des Théores sur l'Agora de Thasos ; l'attitude des personnages est hiératique, mais grande est la variété des draperies et des gestes pleins de vivacité. Le *Torse de Milet*** marque l'aboutissement dans l'observation du corps humain ; la frontalité est rompue, le hanchement apparaît.

*Salle 3 : Olympie****. Cette salle, qui devrait s'ouvrir au cours de l'année 1991, est destinée aux sculptures provenant d'Olympie : deux métopes, découvertes par A. Blouet lors de l'expédition de Morée, en 1829, avec d'autres fragments, proviennent du temple de Zeus (470-460 av. J.-C.). Ces métopes nous relatent les travaux d'Héraclès : Héraclès domptant le taureau de Crète d'une part, Héraclès offrant à Athéna les oiseaux du lac Stymphale d'autre part. Des bronzes et des céramiques accompagneront ces exemples admirables du style sévère. Rappelons que les fragments de sculpture d'Olympie ont été offerts par le Sénat de Grèce en témoignage de gratitude envers la France, qui avait pris part à la guerre d'Indépendance.

À la suite de la salle d'Olympie, le visiteur pénètre dans le corridor de Pan. Il se dirige alors sur la dr. et gagne la salle du Parthénon.

Chronologie grecque

3200-1050 av. J.-C.	*Age du bronze : vers 3200 : essor de la civilisation cycladique; vers 2000 : essor de la civilisation crétoise; vers 1400 : déclin de la Crète au profit de Mycènes.*
Fin du IIe millénaire	*Invasions doriennes.*
1050-720 av. J.-C.	*Époque géométrique.*
720-620 av. J.-C.	*Époque orientalisante.*
620-480 av. J.-C.	*Époque archaïque.*
480-450 av. J.-C.	*Transition entre archaïsme et classicisme : style sévère.*
Milieu Ve-début IVe s.	*Premier classicisme. Apogée d'Athènes. Périclès. Phidias et le Parthénon.*
IVe s. av. J.-C.	*Second classicisme. Soumission de la Grèce par Philippe de Macédoine. Alexandre (336-323 av. J.-C.) porte l'hellénisme aux confins du monde oriental. Praxitèle, Scopas, Lysippe.*
IIIe s.-Ier s. av. J.-C.	*Époque hellénistique. La Grèce est une province de l'immense monde hellénique.*

Salles 4 et 5, salle du Parthénon et corridor de Pan : originaux de la seconde moitié du Ve s. et début du IVe s. av. J.-C. La première salle porte le nom du temple consacré sur l'Acropole d'Athènes à la déesse Athéna, construit entre 447 et 432 av. J.-C. sur l'ordre de Périclès et sous la direction artistique de Phidias. On voit ici plusieurs morceaux de la décoration du Parthénon : un important fragment de la *Frise des Panathénées****, présenté sur le mur de dr., semble dominer la salle; à sa g., une métope – la dixième de la série sud – représente un Centaure enlevant une femme lapithe; à sa dr., une *tête de cavalier**** de la frise nord, une tête de Lapithe, provenant d'une métope sud, et la superbe *tête Laborde****, tête féminine provenant du fronton O. du Parthénon. Face à ces vestiges, ce sont sans doute deux *figures d'acrotères**, fort gracieuses, provenant du temple de Phigalie-Bassai, entrepris par Ictinos, l'architecte du Parthénon, vers 425 av. J.-C. Dans la même salle, bordant le corridor de Pan, toute une série de stèles illustre la reprise de la production vers le milieu du Ve s. av. J.-C. en Attique et l'influence du décor du Parthénon à Thasos ou en Crète.

Si le visiteur souhaite poursuivre l'itinéraire des originaux grecs, il doit regagner le corridor de Pan, puis s'avancer dans la galerie conduisant vers la Vénus de Milo.

Salles 6 et 7 : originaux du IVe s. av. J.-C. On remarquera des lécythes et des loutrophores, vases funéraires par excellence, un très beau lion offert par l'amiral Halgan à Charles X ; l'emplacement de la tombe pouvait être signalé par un animal symbolique. Nombreuses stèles exécutées en relief toujours plus accentué, les figures confinant à la ronde-bosse, d'où la présence de quelques petites têtes isolées et de statues complètement détachées de leur fond, provenant de reliefs funéraires.

Salle 8 : originaux du IIIe s. av. J.-C. Cette salle offre au visiteur les effigies des descendants du diadoque Lagos, qui reçut l'Égypte en partage lors du découpage de l'empire d'Alexandre. Notons le beau *portrait de Ptolémée Ier**, fondateur de la dynastie.

Salle 9 : originaux du IIe s. av. J.-C. L'époque hellénistique renouvelle l'art hérité des grands maîtres classiques. La *tête Kaufmann****, longtemps considérée comme la meilleure réplique de la tête de l'Aphrodite de Cnide de Praxitèle, est maintenant reconnue comme un original créé par un grand artiste du IIe s., inspiré par la Cnidienne. L'*Alexandre** Guimet est une réélaboration d'une œuvre de Léocharès. L'*Inopos** – peut-être le portrait de Mithridate VI Eupator –, idéalisé à la ressemblance d'Alexandre, est parfois attribué au sculpteur de la Vénus de Milo, l'une des œuvres les plus connues dans le monde entier.

La statue dénommée la *Vénus de Milo****, et qui occupe le premier rang parmi les chefs-d'œuvre de la sculpture antique de nos musées, fut découverte en 1820 par un paysan, près du village de Castro, dans l'île de Milo (Mélos). Le marquis de Rivière, ambassadeur de France à Constantinople, l'acheta et l'offrit à Louis XVIII en 1821. La statue, qui date de la fin du IIe s. av. J.-C., rappelle le grand art classique par sa majesté et sa perfection. Mais on ne connaît ni son auteur ni le geste que faisaient ses bras.

Salle 10 : originaux des IIe-Ier s. av. J.-C. Le guerrier combattant, dit *Gladiateur Borghèse***, signé d'***Agasias d'Ephèse*** (vers 100 av. J.-C.), rappelle les créations de

Fragment de la frise des Panathénées du Parthénon dont les travaux furent dirigés par Phidias.

Lysippe et de son école et adopte le même canon. Goût pour le passé qui finit par donner à l'art de cette période un caractère éclectique : ainsi le cratère à volutes signé par *Sosibios d'Athènes* (vers 50 av. J.-C.).

Le circuit des copies

Le visiteur doit revenir sur ses pas jusqu'au corridor de Pan pour entamer l'itinéraire des répliques.

Salle 11 : répliques d'après des œuvres du Ve s. av. J.-C. La *Suppliante Barberini** marque la frontière entre originaux et répliques; longtemps classée dans les originaux, elle est maintenant considérée comme la réplique d'un original créé juste après l'achèvement du Parthénon. La plupart des originaux de l'époque classique ayant disparu, nous connaissons les plus célèbres par des copies réalisées surtout à l'époque romaine. Un *torse de Discobole***, dont l'original est attribué à Pythagoras de Rhegium, marque un net progrès dans la possession de l'espace. L'*Apollon citharède** nous garde le souvenir d'un style sévère qui a précédé Polyclète (vers 460 av. J.-C.). Une tête d'Apollon rappelle l'Apollon à l'omphalos créé par Calamis. Des deux groupes érigés par *Myron* sur l'Acropole d'Athènes, Athéna et Marsyas et Thésée et le Minotaure, il nous reste une *Athéna***, infiniment gracieuse, semblant esquisser un pas de danse (vers 440 av. J.-C.) et un petit torse de Minotaure (en vitrine). Le Diadumène, dont le type statuaire a

été créé par Polyclète vers 430, reproduit l'attitude de ses athlètes à l'équilibre rythmé. On attribue au même sculpteur l'original de l'Amazone blessée qui figurait, d'après la tradition, aux côtés des Amazones de Phidias, de Crésilas et de Phradmon dans le sanctuaire d'Artémis à Éphèse (vers 430 av. J.-C.); la réplique du Louvre a été bien mal restaurée au XVIIe s. *Phidias* transpose dans le monde des dieux la sérénité des athlètes polyclétéens. Son Apollon, dit Bonus Eventus, du type de l'Apollon de Cassel, annonce les œuvres de sa maturité : le Zeus d'Olympie et l'Athéna Parthénos, dont la Minerve au collier ainsi qu'une petite tête nous gardent le souvenir. Le relief représentant Orphée, Eurydice et Hermès est l'une des meilleures répliques d'un original attique, postérieur à la frise du Parthénon (dernières années du Ve s.); l'inscription qui le décore est postérieure à l'œuvre.

Salle 12 : répliques d'après des œuvres des Ve et IVe s. av. J.-C. Dans cette salle nous retrouvons Phidias : le superbe *torse de Perséphone*★ – type de la koré Albani – et l'Athéna, dite *Minerve Ingres*★, sont des répliques dont les originaux lui sont attribués (vers 440 av. J.-C.). L'original d'une tête d'Anacréon, poète lyrique de la fin du VIe s., pourrait également lui être attribué (vers 450 av. J.-C.). Enfin, l'original en bronze de l'Athéna Farnèse est attribué à l'un de ses élèves. Au Crétois Crésilas sont attribués les originaux du Diomède, compagnon d'Ulysse, et de la Pallas de Velletri, œuvres teintées d'éclectisme où se mêlent les influences de Phidias et de Polyclète (vers 440-430 av. J.-C.). Callimaque est le créateur de l'original de la gracieuse *Aphrodite de Naples***, dite Vénus Genitrix; l'apparition de la draperie mouillée laissant deviner les formes féminines annonce les œuvres de Praxitèle. C'est à Alcamène que l'on attribue l'original de l'*Arès***, dit Mars Borghèse, où se mêlent la calme grandeur de Phidias et l'équilibre polyclétéen; Alcamène y apporte plus d'humanité et une élégance raffinée. Même élégance dans les deux *Aphrodites** accoudées à un pilier, dont l'original, attribué au même sculpteur, a peut-être figuré dans le sanctuaire d'Aphrodite à Daphni, à moins qu'il ne soit l'Aphrodite des Jardins tant admirée par Lucien de Samosate. Enfin, on lui attribue l'original de la charmante Athéna à la ciste au geste maternel; là encore, le type divin s'humanise (seconde moitié du Vᵉ s.). Au seuil du IVᵉ s., deux œuvres rompent plus nettement avec l'esthétique du haut classicisme : c'est à un élève de Polyclète, Naucydès, que l'original du Discophore est attribué. Quant à l'original de l'Athéna Pacifique – un bronze découvert au Pirée il y a quelques années –, il se trouve maintenant au musée national d'Athènes, mais n'est pas attribué pour le moment. Dans ces deux œuvres se remarquent une volonté de réalisme, une recherche de vérité, de vie.

Salle 13 : répliques d'après des œuvres du IVᵉ s. av. J.-C. Cette salle est dominée par la grande Melpomène du théâtre de Pompée, à Rome (Iᵉʳ s. av. J.-C.), qui fait partie du décor, mais n'a rien à voir avec les sculptures exposées ici, qui représentent le meilleur ensemble qui soit des répliques des œuvres créées par Praxitèle entre 370 et 330 av. J.-C. Cet Athénien, fils de Céphisodote l'Ancien, est le sculpteur de la grâce adolescente : son Satyre verseur et son Apollon Sauroctone sont animés du rythme oscillant hérité de Polyclète, mais accentué et appliqué à de jeunes silhouettes aux lignes souples donnant le sentiment d'une aisance souveraine. Mais c'est dans les effigies d'Aphrodite que triomphe Praxitèle. La *Vénus** d'Arles – peut-être une réplique de l'Aphrodite de Thespies – annonce la création de l'*Aphrodite de Cnide*** qui représentait la déesse prête aux ablutions rituelles et qui fut l'une des statues les plus célèbres et les plus copiées de l'Antiquité. L'*Artémis***, dite Diane de Gabies, est sans doute une réplique de la statue exécutée par Praxitèle, dans la dernière partie de sa carrière, pour le sanctuaire d'Artémis Brauronia sur l'Acropole d'Athènes, qui fut inauguré en 346-345 av. J.-C.; rien de plus féminin que son geste pour agrafer son manteau. Dans l'Apollon Lycien, il y a une recherche d'effet monumental et d'expression pathétique qui date l'original de cette œuvre, célèbre à Athènes, de la dernière période de la carrière de l'artiste.

Le visiteur doit regagner le corridor de Pan pour atteindre, sur sa dr., la salle des Caryatides.

Salle 14, dite salle des Caryatides : répliques d'après des œuvres allant du IVe s. à l'époque hellénistique. Cette salle a ouvert ses portes en même temps que la Pyramide de Pei. Elle offre, dans sa première partie, des répliques de l'œuvre de Lysippe, personnalité charnière et de premier plan entre période classique et période hellénistique. D'un tempérament opposé à celui de Praxitèle, Lysippe revient à l'étude des musculatures athlétiques et du mouvement, et allonge le canon des proportions du corps humain : très grande mobilité pour l'*Hermès rattachant sa sandale*★★, qui agit dans un espace réel à trois dimensions. Lysippe fut le sculpteur attitré d'Alexandre; la *tête Azara*★★ est une très belle réplique de son Alexandre à la lance.

La *Diane de Versailles*★, d'après un original réputé de Leochares, illustre les recherches d'effets décoratifs de la fin du IVe s. av. J.-C. La déesse, qui a figuré dans plusieurs résidences royales depuis le XVIe s., garde une certaine allure, qui l'apparente à l'Apollon du Belvédère. L'Aphrodite du type du Capitole, longtemps considérée comme une réplique d'un original de Scopas, est désormais rendue à l'époque hellénistique. L'iconographie change : à l'athlète dans sa force, on préfère le vieillard ou l'enfant, tel l'Enfant à l'Oie. La nudité féminine perd son sens religieux, comme en témoigne l'Aphrodite accroupie de Vienne; l'Hermaphrodite endormi est d'une sensualité ambiguë qu'ignoraient les œuvres de Praxitèle. À la beauté froide, on préfère désormais la vérité psychologique; le Galate vaincu et le Marsyas sont de bons exemples de cette tendance au réalisme pathétique.

Salles 15 à 17 : itinéraire étrusque

Le visiteur doit revenir sur ses pas et regagner la salle de la Grèce archaïque. C'est de cette salle qu'il peut entreprendre l'itinéraire étrusque, en rejoignant les salles qui longent le côté E. de la cour du Sphinx.

Les Villanoviens, puis les Étrusques, installés dès le IXe s. av. J.-C. en Italie centrale et méridionale, constituent très tôt un foyer important de civilisation, dont le souvenir nous

Le sarcophage des Époux est un motif fréquemment traité dans l'art funéraire étrusque.

est parvenu grâce au mobilier fort important que conservaient leurs tombes monumentales, aux parois souvent décorées de fresques. Ils entrèrent en contact avec les colonies grecques d'Italie méridionale vers le VIIIe s. av. J.-C. et leur art, bien qu'influencé par la technique grecque, a gardé la marque de leur mythologie et de leur tempérament imaginatif.

Salle 15. La culture villanovienne est présentée à g., précédant immédiatement la civilisation étrusque (IXe-VIIIe s. av. J.-C.) : des urnes cinéraires biconiques en impasto, des vases en bronze laminé, des pièces d'habillement et d'armement en bronze, à décor incisé ou repoussé, représentent cette culture que caractérisent le rite de l'incinération, l'usage du bronze et du fer, un artisanat et un style géométrique d'inspiration indigène. Au centre de la salle, le *sarcophage des Époux****, provenant de Caere. Ce chef-d'œuvre de l'art étrusque traduit en terre cuite et en ronde-bosse un motif fréquemment repris sur des stèles ou des reliefs funéraires et témoigne d'une forte influence ionienne (vers 510 av. J.-C.). À dr., évolution de la céramique du VIIIe au VIe s. av. J.-C. : céramique peinte à décor géométrique et impasto à décor gravé ; céramique orientalisante avec l'apparition (vers 650 av. J.-C.) de la céramique de bucchero à pâte noire imitant le métal : parois très fines, surface noire brillante à reflet argenté, c'est le bucchero sottile ; céramique étrusco-corinthienne (vers 625-575 av. J.-C.).

Salle 16. Les Étrusques étaient de remarquables orfèvres, passés maîtres dans l'art du filigrane et de la granulation, comme le montrent les vitrines de bijoux exposés dans cette salle : *pendentif** à tête d'Achéloos. Ensemble de vases canopes provenant de

Chiusi dans une vitrine à dr. À g., autre vitrine présentant des vases de bucchero pesante : parois épaissies, formes plus lourdes, décor en relief (VIe s.).

Salle 17. Elle abrite l'art étrusque des époques classique et hellénistique (IVe-Ier s. av. J.-C.). De Chiusi, citons un groupe cinéraire en pierre fétide datant du IVe s. av. J.-C., des sarcophages en marbre local, des urnes cinéraires en terre cuite datant du IIe-début Ier s. av. J.-C. De Volterra, ce sont des urnes cinéraires en albâtre de la fin du IIe-Ier s. av. J.-C. Des sarcophages en terre cuite proviennent du territoire de Tuscania (fin IIIe-IIe s. av. J.-C.). Une vitrine propose toute une série de *miroirs gravés*** en bronze des IVe-IIIe s. av. J.-C. Des portraits en terre cuite remplissent une autre vitrine. Notons enfin la belle tête d'homme en bronze provenant de Fiesole.

Salles 18 à 27 : itinéraire romain

Le visiteur, sortant de la salle 17, peut gagner

Le bas-relief romain

L'art des Romains, peuple précis et pratique, ne perdit jamais contact avec la réalité. Aussi la représentation de cérémonies du culte, de faits d'armes, des grands épisodes de l'histoire locale fut-elle parmi les thèmes préférés de la sculpture. À l'encontre du relief grec qui idéalise toujours les événements qu'il veut représenter et choisit volontiers des sujets mythologiques, le relief romain est en général l'œuvre d'annalistes relatant les événements contemporains. Il a donc pour nous une réelle valeur documentaire; les principaux personnages sont figurés souvent sous leurs traits exacts et ni le décor (image des temples) ni l'accessoire ne sont négligés.

---

sur sa dr. les anciens appartements d'Anne d'Autriche, où sont exposées les collections romaines.

Salle 18 : époques républicaine et julio-claudienne (27 av. J.-C.-69 apr. J.-C.). Deux modes d'expression étaient privilégiés à cette époque : le portrait et le relief historique. Du portrait, nous avons l'aspect officiel avec les

---

Chronologie romaine

La Royauté : *753 av. J.-C. : fondation de Rome. VIe s. av. J.-C. : hégémonie étrusque.*
509 av. J.-C. : chute de la Royauté.

La République : *V^e^-IIIe s. av. J.-C. : Rome étend sa domination sur le Latium, l'Italie centrale, puis sur toute la Péninsule.*
IIIe-IIe s. av. J.-C. : guerres puniques ; victoire sur Carthage.
IIe s. av. J.-C. : victoire en Grèce, en Orient, en Afrique du Nord et en Espagne.
Ier s. av. J.-C. : bataille d'Actium. Hégémonie sur tout le bassin méditerranéen.
27 av. J.-C. : Octave reçoit le titre d'Auguste.

L'Empire : *27 av.-69 apr. J.-C. : dynastie julio-claudienne (Auguste, Tibère, Caligula, Claude, Néron).*
69-96 apr. J.-C. : dynastie flavienne (Vespasien, Titus, Domitien). 96-192 apr. J.-C. : dynastie antonine (Nerva, Trajan, Hadrien, Antonin, Marc Aurèle, Commode).

Antiquité tardive : *193-235 : dynastie des Sévères (Septime Sévère, Caracalla).*
235-284 : anarchie militaire.
284-305 : règne de Dioclétien.
306-337 : règne de Constantin. 379-395 : Théodose.
Partage Orient-Occident.
410 : prise de Rome par Alaric.
476 : fin de l'Empire d'Occident.

---

effigies des rois de Numidie, Juba Ier, Juba II et Ptolémée, et les portraits d'Auguste et de la famille impériale ; quelques portraits républicains au réalisme accentué nous offrent l'aspect privé de cet art. Citons le portrait dit d'Aulus Postumius Albinus, le très beau *buste d'Agrippa*★ et la *statue* héroïque *de Marcellus*★★ en Hermès, signée de ***Cléoménès l'Athénien,*** inspirée d'un type statuaire créé en Grèce au Ve s. av. J.-C. (fin du Ier s. av. J.-C.). Le *relief dit de Domitius Ahenobarbus*★ est l'un des premiers exemples de relief historique romain (→ *encadré*) ; il devait décorer le côté d'une grande base placée sans doute dans le temple de Neptune au Champ de Mars (les trois autres reliefs sont conservés à Munich). Le fragment de l'Ara Pacis — consacré par Auguste en 9 av. J.-C. pour célébrer son retour victorieux d'Espagne — est manifestement inspiré de la frise des Panathénées. Bon exemple de l'art privé : les fresques du Tombeau de Patron — qui se trouvait près de la porte Capène à Rome — représentent sa famille se rendant sur sa tombe.

Salle 19 : époque julio-claudienne (suite). On verra quelques portraits de la famille impériale et surtout le superbe portrait en basalte de *Livie*★, épouse d'Auguste et mère de Tibère. Deux cippes témoignent de l'art funéraire privé : cippe d'Amemptus et cippe de Julia Victorina ; destiné à recevoir des libations, le cippe funéraire pouvait aussi contenir l'urne renfermant les cendres du mort.

Salle 20 : époques julio-claudienne, flavienne (69-96 apr. J.-C.) et antonine (96-112 apr. J.-C.). Parmi les portraits julio-claudiens : Caligula portant la barbe en signe de deuil ; Néron, dont il existe peu de portraits, sa mémoire ayant été condamnée par le Sénat ; une statue de Messaline, seconde femme de Claude, portant son fils Britannicus, inspirée du groupe de Céphisodote, Eiréné et Ploutos (IVe s. av. J.-C.). Quelques portraits des Antonins : Trajan, *Hadrien*★★★ — dont le portrait en bronze entré récemment au Louvre est particulièrement remarquable —, Antonin le Pieux, Marc Aurèle et son ami *Hérode Atticus*★★ ; ces deux derniers portraits sont l'œuvre d'artistes grecs. Émouvant portrait d'un enfant, peut-être *Annius Vérus*★★, le fils de Marc Aurèle, mort à sept ans, un des chefs-d'œuvre de l'art du portrait romain : le traitement de la chevelure met en valeur le modelé expressif et délicat du visage. Notons le *sarcophage des Muses*★, l'un des plus beaux du Louvre ; il date du règne d'Antonin le Pieux (milieu du IIe s. apr. J.-C.). Enfin, un relief mithriaque décoré sur une face du sacrifice du taureau et, sur

Le portrait romain

L'esprit réaliste des Romains donna au portrait une place prépondérante. Tandis que le portrait grec est toujours plus ou moins idéalisé et conforme à un type conventionnel, les Romains ont au contraire recherché la ressemblance et le caractère individuel. Dès l'époque républicaine, des bustes ou des statues honorifiques fixaient, de façon généralement très vivante, les traits de personnages riches ou importants. L'établissement de l'Empire et du culte impérial ne pouvait que favoriser le développement de ces représentations. Bien des portraits restent pour nous anonymes, mais les monnaies ont permis en général d'identifier ceux des empereurs et des membres de leur famille.

En même temps que la mode (coiffure, par exemple), le style évolue : à l'énergie un peu sèche des débuts succède, vers l'époque d'Hadrien, un modelé plus enveloppé. Au IIe s. apr. J.-C. reparaît un réalisme assez rude, qui fera bientôt place au hiératisme byzantin.

l'autre face, du banquet de Mithra et du soleil sur la dépouille du taureau; divinité solaire venue d'Iran, Mithra était connu et honoré à Rome depuis le Ier s. av. J.-C.

Salle 21 : époques des Antonins et des Sévères (193-235). Les grands portraits de Marc Aurèle et de Lucius Vérus, son frère adoptif, semblent dominer la salle; ce sont des images posthumes de ces empereurs déifiés sous le principat de Commode. Simplicité vivante pour le portrait de *Mélitiné**, prêtresse de la Mère des dieux au Pirée, qui consacra elle-même son image à la déesse durant la prêtrise de Philémon, fils de Praxitélès.

De l'époque des Sévères, deux sarcophages de Saint-Médard-d'Eyrand (environs de Bordeaux) sont ornés de légendes mythologiques : Dionysos et Ariane, Endymion et Séléné. De cette même période, deux portraits de Septime Sévère et trois portraits de Caracalla; l'effigie de *Caracalla enfant** est proche, par sa facture, des portraits antonins et contraste avec ses portraits en empereur d'un aspect brutal.

Salle 22 : IIIe s.-IVe s. apr. J.-C. Au centre de cette salle se voient quatre *piliers*** ornés de figures en relief dont le décor est emprunté au cycle dionysiaque; ils appartenaient à l'attique d'un portique corinthien de Thessalonique et le Moyen Âge y voyait les restes d'un palais enchanté, d'où son nom d'Incantada (IIIe s.). Parmi les portraits du même siècle, citons celui de l'empereur Pupien, qui ne régna que quelques mois en 238, et celui d'un *aurige***

Le portrait réaliste occupe une place prépondérante dans l'art romain. Ici l'empereur Hadrien.

coiffé de son bonnet de cuir ; la facture de ces portraits est très remarquable. Au IVe s., le portrait montre un retour à la frontalité et à un hiératisme qui confèrent au sujet une certaine majesté, mais qui rendent parfois difficile son identification. Un personnage couronné, vêtu de la toge étroite du IVe s., pourrait être Julien l'Apostat. Beau portrait de Théodose II, qui clôt cette série de portraits à l'orée du monde byzantin et du Moyen Âge chrétien. Le sarcophage Borghèse représente le Christ entouré de ses apôtres ; des morceaux de ce sarcophage sont conservés au musée du Capitole à Rome (IVe s.).

Le visiteur doit contourner le sarcophage Borghèse pour pénétrer dans la salle située derrière lui.

Salle 23 : Antiquité tardive. Au mur O. de cette salle, la superbe *mosaïque de Kabr Hiram**** (près de Tyr, au Liban) : des rinceaux de vigne encadrent des scènes de chasse et des combats d'animaux. Quatre vitrines méritent qu'on s'y arrête : la première renferme de la céramique sigillée ; dans la seconde sont rassemblés des *objets en verre** ; une autre vitrine offre un ensemble de bijoux, dont le *médaillon** à l'effigie de Constantin. La vitrine du mur E. est consacrée à l'argenterie et aux objets en ivoire ; citons le *vase d'Emèse**, grande amphore ornée des bustes du Christ et des apôtres, provenant d'Homs (Syrie), et la patère de Cherchel dont le manche s'orne d'un Poséidon (VIe s.) : persistance des motifs décoratifs inspirés de la mythologie face au développement de l'iconographie chrétienne.

Le visiteur gagne ensuite les petites salles situées derrière le portrait de Théodose II.

Salle 24 : collections chrétiennes d'Afrique du Nord. À part quelques éléments d'architecture au décor maladroit provenant de la basilique de Tigzirt en Algérie, on y voit des sarcophages ornés de rinceaux de vigne et surtout du chrisme – les deux premières lettres du nom du Christ en grec –, que l'on retrouve aussi décorant des mosaïques destinées à paver des églises ou à couvrir des tombes. Un thème revient souvent, celui de la parabole du Bon Pasteur gardant son troupeau : bélier et brebis allaitant dans la mosaïque de Rusguniae, au cap Matifou près d'Alger. L'image du Bon Pasteur orne aussi le centre d'un sarcophage entre des strigiles. Une vitrine présente des lampes et des ampoules à eulogie en terre cuite. Table votive de Kherbet-oum-el-Ahdam (Algérie), ornée du chrisme en son milieu.

Salle 25 : collections chrétiennes de Syrie. Les mosaïques sont aussi nombreuses en Syrie qu'en Afrique du Nord; ici, deux *images** d'une église, intéressants documents d'architecture paléochrétienne. Un motif est fréquemment repris pour les seuils d'autel ou de baptistère : le canthare encadré d'animaux (ici, deux gazelles). Quelques stèles en basalte : deux *piliers de saint Siméon le Stylite** ; l'ermite, dont le culte connut une grande faveur en Syrie aux Vᵉ et VIᵉ s. apr. J.-C., est représenté sur sa colonne. Deux portes de tombeaux, en basalte, ornées de motifs géométriques et végétaux, de croix et de chrismes (VIᵉ-VIIᵉ s.). Toujours en basalte, un reliquaire en forme de sarcophage décoré de figures de paons et de rinceaux, de la croix encadrée de l'alpha et de l'oméga, du soleil et de la lune.

Salle 26, dite des mosaïques, ou salle de la civilisation romaine. On a groupé, dans cette salle, des peintures et des mosaïques qui décoraient les murs et le sol des maisons romaines. Quelques-unes sont inspirées de la grande peinture grecque, dont il ne reste rien. Les mosaïques viennent d'Afrique du Nord (Carthage, Utique, Sousse, Constantine) et de Syrie (Antioche); elles s'échelonnent du Iᵉʳ au VIᵉ s. apr. J.-C. Les peintures viennent d'Italie (Rome, Pompéi, Boscoreale); elles remontent au Iᵉʳ s. de notre ère. Les motifs sont souvent les mêmes : mythologiques (Muses, Fleuve couché, Jugement de Pâris, Triomphe de Neptune), décoratifs (rinceaux). Remarquer la mosaïque du *Jugement de Pâris***, directement inspirée d'une peinture grecque (Antioche). Du IIIᵉ au Vᵉ s., le style des mosaïques prend un caractère plus décoratif, le symbolisme apparaît, annonçant l'art byzantin : la mosaïque du Phénix, qui produit l'effet d'un tapis oriental. Au centre de la salle, sur des podiums et dans les vitrines, sont évoqués les thèmes de la civilisation romaine ou plus exactement de la vie quotidienne : l'enfant, les jeux, la mort. Dans le mur E. de la salle des mosaïques, un passage donne accès à la cour du Sphinx.

Salle 27 : cour du Sphinx. Depuis les marches descendant de la salle 26, le visiteur découvre l'ensemble de la belle façade de Le Vau, dégagée en 1933, qui forme le côté E. de la cour. Au centre de la cour, la *mosaïque des Saisons****, qui décorait le sol d'une villa constantinienne de Daphné, offre des scènes champêtres : un berger garde son troupeau, des paysans tressent des guirlandes de fleurs, un berger trait une chèvre... ; les Saisons sont représentées sous les traits de quatre figures féminines ; entre les Saisons, scènes de chasse.

Le visiteur trouve ici un ensemble de sculptures monumentales et architecturales qui n'a pu trouver place dans le parcours chronologique ; œuvres grecques et romaines s'y côtoient.

Sur le côté O. sont présentées les *frises*** du temple d'Artémis, à Magnésie du Méandre (Asie Mineure), rapportées en 1843 par Victor Texier et représentant des combats de Grecs et d'Amazones (IIe s. av. J.-C.). Au-dessous, fragments du célèbre temple d'Apollon Didyméen, à Milet (Asie Mineure), dont on voit aussi, du côté S., un chapiteau et deux bases de colonnes. L'art romain oriental est représenté, outre la mosaïque des Saisons, par un *groupe* colossal *du Tibre** (imitation d'un modèle alexandrin) et par le *Vase de Pergame**, offert par le sultan Mahmoud II, qui représente une belle frise de cavaliers au galop.

▸ Le visiteur retrouve l'escalier Daru pour rejoindre le premier étage.

PREMIER ÉTAGE

▸ Sur le palier est présentée la *Victoire de Samothrace****, chef-d'œuvre de l'art hellénistique (IIe s. av. J.-C.) et marbre grec original. Figure ailée, elle commémorait une victoire navale qui précédait de peu la création de l'autel de Pergame. Elle fut trouvée en morceaux par Champoiseau en 1863 ; sa main, découverte en 1950, est exposée dans une petite vitrine sur la dr.

▸ Contournant le palier sur la g., le visiteur traverse la rotonde d'Apollon et gagne la salle de Boscoreale.

Salle 1, salle de Boscoreale : orfèvrerie antique

Quelques fragments de peintures romaines ornent les murs. Au centre de la salle et contre le mur O., deux vitrines présentent un ensemble incomparable d'objets en argent trouvés près de Pompéi, à Boscoreale, dans la citerne d'une villa détruite par le Vésuve en 79 apr. J.-C. Le Louvre en possède la presque totalité, offerte en 1895 par le baron Edmond de Rothschild (106 pièces), ainsi que plusieurs bijoux d'or. Ce *trésor de Boscoreale**** appartient à la tradition hellénistique. Citons des patères, ornées l'une d'un buste de femme symbolisant l'Afrique, l'autre d'un portrait d'homme âgé ; des œnochoés décorées de Victoires sacrifiant des animaux à Athéna ; des canthares ornés de cigognes nourrissant leurs petits, de feuilles de platane ou de branches d'olivier... Une troisième vitrine, contre le mur E. de la salle, contient de l'argenterie trouvée en France. Citons le trésor gallo-romain de

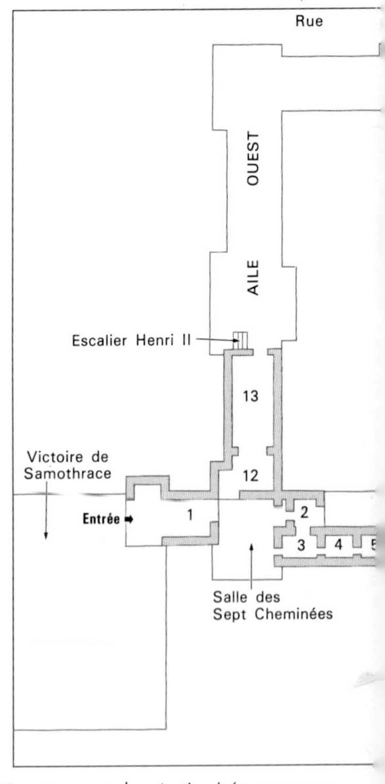

Département des Antiquités grecques,

1 Orfèvrerie antique
2 Civilisations préhelléniques
3 Céramiques géométrique et orientalisante
4, 5 Céramique à figures noires, époque archaïque
6, 7 Céramique à figures rouges, époque archaïque

Notre-Dame-d'Allençon et notamment deux masques consacrés à Athéna. Une statue de la Fortune, en bronze plaqué d'argent avec des traces de dorure, provient de Saint-Puits dans l'Yonne (IIe s. apr. J.-C.).

▸ Le visiteur traverse ensuite la salle des Sept-Cheminées, puis une antichambre – ancien Cabinet du Roi –, pour entrer dans la salle Clarac, ancienne chambre de la Reine.

Salle 2, dite salle Clarac : civilisations préhelléniques (IIIe-IIe millénaires av. J.-C.)

Au IIIe millénaire av. J.-C., l'archipel des Cyclades est le centre de la civilisation dite égéenne. En même temps se développe, en

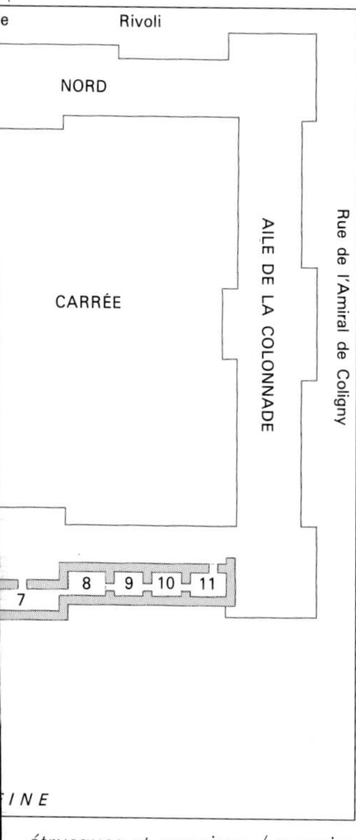

étrusques et romaines / premier étage

8, 9 Céramique à figures rouges, époque classique
10 Céramique italiote
11 Salle de Myrina
12 Salle Henri-II : Italie méridionale
13 Salle La-Caze : Bronzes antiques

Crète, une brillante civilisation autochtone dont le foyer est à Cnossos, au palais du légendaire roi Minos ; on voit dans la salle, à dr., deux pithoï ou grandes jarres provenant de Cnossos (XVIIe-XVIe s. av. J.-C.). Au cours du IIe millénaire, les Achéens répandent dans la péninsule balkanique et dans les îles une civilisation imprégnée d'influences crétoises, mais modifient l'art naturaliste et primesautier des Crétois dans le sens du formalisme et de la stylisation. La salle étant en cours de réaménagement, seule une vitrine reste ouverte, à dr., présentant provisoirement un aperçu des collections préhelléniques : idoles et vases cycladiques en marbre du IIIe millénaire ; figurines en bronze et en terre cuite, vases minoens et mycéniens (IIe millénaire).

▸ En quittant la salle Clarac, tourner à dr. pour entrer dans la galerie Campana.

La galerie Campana : salles 3 à 11

On appelle ainsi neuf salles, parallèles à la Seine, où l'on a exposé les vases et les figurines de terre cuite relevant de l'art grec. Cette collection est, depuis l'achat en 1863 du fonds Campana, l'une des plus importantes du monde.

Salle 3 : céramique géométrique et orientalisante (IVe-VIIIe s. av. J.-C.). À la suite des invasions doriennes se répand peu à peu, dans toute la Grèce, un art épris de rigueur dans les formes et dans le décor. Ce style géométrique s'affirme à Athènes dans les vases trouvés au cimetière du Dipylon (vers 750 av. J.-C.) ; des scènes de combats et de funérailles ornent ces vases, souvent très grands. Les Béotiens imitent l'art attique et manifestent déjà leur goût pour le modelage des figurines (curieuses idoles-cloches, animaux). Le style géométrique s'affirme avec rigueur dans les îles. Vers la fin du VIIIe s. av. J.-C., la reprise des relations avec l'Asie Mineure et l'Égypte donne naissance à un style orientalisant caractérisé par les couleurs vives, les motifs décoratifs inspirés de la flore et de la faune, la répartition du décor en zones. La figure humaine n'apparaît guère que sous la forme de vases plastiques. Voir, en outre, un sarcophage décoré de guerriers et d'animaux. Une vitrine centrale groupe les spécimens du style orientalisant (Rhodes), une autre les vases protocorinthiens et de style corinthien ancien (fin du VIIIe et VIIe s. av. J.-C.).

Salle 4 : céramique à figures noires, époque archaïque. Du début du VIIe au milieu du VIe s. av. J.-C., Corinthe, grand centre maritime, donne naissance à un style particulier sous l'influence de l'Orient. La technique de la figure noire, soulignée d'incisions au burin, se développe. Les vases sont, les uns petits et minces (olpès, aryballes, alabastres, pyxides, vases plastiques en forme d'hommes ou d'animaux), les autres larges et ventrus (cratères, hydries) ; les motifs décoratifs subsistent, mais la figure humaine devient fréquente et compose des scènes narratives (combats, banquets). Au VIe s. av. J.-C., des ateliers actifs se multiplient dans toute la Grèce, chacun possédant un style propre. Les calices de Naucratis et les amphores chalcidiennes se signalent par la perfection de leurs proportions. Les Laconiens peignent sur engobe blanc, tandis que la figure noire, que connaît aussi l'Ionie, règne seule dans l'école chalcidienne. Les hydries de Caere, encore un peu lourdes, sont de couleurs vives ; sur ces vases grecs, trouvés dans une nécropole étrusque, paraissent les sujets mythologiques, traités parfois avec humour. Figurines et vases plastiques connaissent la vogue en Ionie et surtout en Béotie. Le style attique se développe (amphores « tyrrhéniennes » à frises superposées).

Salle 5 : céramique attique à figures noires, époque archaïque. Le style attique se développe à partir de la fin du VIIe s. av. J.-C. sous l'influence corinthienne (figures noires avec incisions). Les potiers façonnent des amphores à frises superposées, des lécythes et des coupes de plus en plus élégantes. La personnalité des artistes, potiers ou peintres, se dégage et leur style s'individualise : *Exékias* et son école décorent de grands vases de sujets épiques ; le peintre d'Amasis préfère les scènes dionysiaques ; une élégante préciosité caractérise les « petits maîtres » et le « peintre affecté ».

Salle 6 : céramique attique à figures rouges, époque archaïque (vers 530-500 av. J.-C.). La technique traditionnelle à figure noire garde ses partisans, mais d'autres artistes cherchent à renouveler leur art. *Andokidès* est peut-être l'inventeur de l'innovation la plus intéressante, qui consiste à inverser le rapport des tons (figures rouges traitées en réserve sur fond de vernis noir). Les détails, au lieu d'être incisés, sont tracés au pinceau fin. *Nikosthénès* imite les vases de métal. Superbe coupe attribuée à *Oltos*. Œuvres maîtresses d'*Euphronios*, notamment la *Lutte d'Héraclès et d'Antée***. Dans le passage, vitrines de statuettes de Béotie, d'Ionie et de Sicile (seconde moitié du VIe s. av. J.-C.).

Salle 7 : céramique attique à figures rouges, époque archaïque (500-480 av. J.-C.). Cette période marque l'apogée de la céramique grecque et la prépondérance incontestée de la production athénienne. La mode est principalement à la coupe, qui atteint à sa perfection et dont le décor est souvent emprunté à la vie des éphèbes (jeux, banquets, etc.). Les artistes de grande valeur sont nombreux. La vitrine centrale réunit des pièces exceptionnelles dues au peintre de Kléophradès, au peintre de Berlin, à **Douris** (*Éos recevant le corps de son fils Memnon***), à **Brygos** (*Prise de Troie***).

Salle 8 : céramique attique à figures rouges, époque classique (second quart du Vᵉ s. av. J.-C.). Athènes reste, jusqu'à la fin du siècle, le centre de la production céramique. Mais un art plus classique succède à la fraîcheur archaïque de la précédente période. Un style plus réaliste s'affirme dans le décor, et l'on s'efforce de rendre l'espacement des personnages en profondeur (cratère du *Meurtre des Niobides***). À côté des sujets traditionnels, on recherche des sujets plus rares ; en même temps, on aime les scènes familières, où la femme joue un rôle important. Sous l'influence de la grande sculpture préclassique, l'art de la figure se développe, de même que celui des plaquettes destinées à être clouées sur des coffrets ou des meubles (plaquettes de Milo).

Salle 9 : céramique à figures rouges, époque classique (seconde moitié du Vᵉ s. av. J.-C.). C'est l'époque du Parthénon. Un accent nouveau de gravité sereine s'introduit dans un art épuré et s'exprime sur les lécythes funéraires à fond blanc. En même temps, la sensibilité s'affine et le charme féminin s'impose aux artistes. À côté des sujets dionysiaques traités dans un esprit de mysticisme tout nouveau, des représentations de danse et de musique où s'affirme le goût de la contemplation, se multiplient les scènes familières figurant les travaux et les distractions des Athéniennes (une Dame et ses servantes).

À la fin du siècle apparaît, sur de grands vases, une exubérance déjà romantique (amphore de Milo). Vases de Canosa dans la vitrine centrale.

Salle 10 : céramique italiote (IVᵉ s. av. J.-C.). Le visiteur peut traverser cette salle pour gagner la salle 11. La céramique exposée ici est inaccessible pour le moment. Il faudra attendre que le Grand Louvre ouvre ses portes pour que cette salle soit rouverte.

À Athènes, au IVᵉ s. av. J.-C., la céramique s'éloigne de la gravité classique pour s'orienter vers la grâce et l'élégance. Les formes se font plus sveltes, le dessin plus mièvre ; les rehauts blancs, roses, or et bleus se multiplient. Les sujets révèlent à la fois les préoccupations mystiques de l'époque et la prédominance de plus en plus marquée de la femme dans l'art. Dans le même temps, les ateliers de l'Italie du Sud, fondés au siècle précédent par des émigrés athéniens, développent la richesse parfois exu-

Héraclès et les Argonautes. Au Vᵉ siècle avant J.-C., Athènes est le centre de la production céramique.

bérante de la couleur et du décor (grands vases, au centre de la salle). Quelques exemplaires témoignent de l'activité des potiers à l'époque hellénistique.

Salle 11, dite salle de Myrina. Tandis que, sauf en Italie méridionale, la production des vases tend à décroître, celle des figurines de terre cuite se développe à partir du IVe s. av. J.-C. Quelques pièces attiques ou béotiennes (Tanagra) sont exposées dans la salle précédente. Dans celle-ci, tout est consacré à l'art des modeleurs. Dans l'ensemble du monde grec, les ateliers se multiplient (Béotie, Asie Mineure où le centre le plus brillant est Myrina, Italie, Cyrénaïque, etc.). Les pièces les plus remarquables (*Éros de Myrina**, *Aphrodite à la coquille**) sont présentées au centre de la salle.
▸ Revenant sur ses pas, le visiteur doit regagner la salle des Sept-Cheminées et, tournant à dr., entrer dans la salle Henri-II.

Salle 12, dite salle Henri-II

Collections d'Italie du Sud et de Sicile présentées selon un ordre chronologique. Œuvres archaïques dans la vitrine à dr. en entrant (contre le mur S.) : céramique daunienne, campanienne et chalcidienne. Belle série d'antéfixes. *Arula sicilienne*** (petit autel domestique), offerte au Louvre par le marquis de Ganay; elle est ornée du combat d'Héraclès contre Triton. Face à l'entrée, un pithos orientalisant (Mégara, Sicile, VIIe s. av. J.-C.). Dans les deux vitrines, contre le mur N., on verra des œuvres classiques, quelques bronzes (*cavalier de Capoue***, *guerriers samnites***, *cerf de*

*Sybaris***), mais surtout des céramiques provenant des ateliers de Lucanie et d'Apulie, de ceux de Campanie et enfin de Paestum. À dr., la fin de la période classique est représentée par la céramique apulienne qui se développe (style orné de grands cratères). Charmants *plats à poissons**. En poursuivant le tour de la salle, la vitrine contre le mur S. présente des œuvres hellénistiques : céramique de Gnathia et vases de Centuripe et de Canosa. Dernière vitrine, au centre du mur S. : terres cuites hellénistiques. Deux appliques représentent les Néréides portant les armes d'Achille.

Salle 13, dite salle La-Caze : salle des bronzes

Les statuettes de bronze exposées ici offrent une image complète du développement de la plastique grecque, étrusque et romaine depuis l'époque géométrique (VIIIe-VIIe s. av. J.-C.) jusqu'au Bas-Empire (IVe s. apr. J.-C.). À la différence des marbres, qui ne sont pour la plupart que des répliques d'originaux grecs, beaucoup de bronzes grecs, étrusques et romains sont des œuvres originales et de qualité. Quant aux ustensiles, ils permettent de suivre l'évolution des usages et du goût durant l'Antiquité. Les séries les plus riches sont celles des lampes et candélabres, et surtout celle des miroirs, à laquelle appartiennent quelques-uns des plus délicats chefs-d'œuvre de l'art grec et étrusque.

Plusieurs grandes vitrines renferment donc des petits bronzes, des miroirs, des statuettes. Bronzes grecs archaïques (VIIe et VIe s. av. J.-C.) : canéphore (VIIe s. av. J.-C.); guerrier coiffé du casque homérique; miroirs de Corinthe; plusieurs statuettes d'Athéna; tête de déesse à haute coiffure (Chypre, VIe s. av. J.-C.); Éphèbe debout sur une tortue; nombreux Silènes; bronzes grecs classiques (Ve s. av. J.-C.); superbe Athlète (début du Ve s. av. J.-C.); Dionysos d'Olympie (460 av. J.-C.); Héraclès au repos; Héraclès combattant; Héraclès tenant les pommes d'or du jardin des Hespérides, style de Lysippe; Zeus de Dodone; autre statuette de Zeus d'après un type disparu de Phidias; deux Éphèbes de l'école de Polyclète. Bronzes hellénistiques : grande ciste; Dionysos tenant une coupe; Apollon archaïsant; deux Lutteurs; statuettes d'Aphrodite et d'Éros; Prêtre d'Isis; figurines grotesques. Bronzes étrusques : deux cistes; remarquable Guerrier archaïque; Aphrodite archaïque (VIe s. av. J.-C.); Arès dansant; Hermès; plusieurs statuettes d'Héraclès. À proximité, groupe isolé d'Éros et Psyché enfants, provenant d'Asie Mineure. L'*Apollon de Lillebonne** est une statue en bronze doré plus grande que nature et trouvée en 1823 près du théâtre antique de Lillebonne (Seine-Maritime). Magnifique *collection de miroirs* étrusques gravés (VIe au Ve s. av. J.-C.); les sujets sont tirés des légendes des dieux.

Le musée possède aussi un important ensemble d'ustensiles romains, grecs et étrusques. Charmant *groupe*★ de style alexandrin, réunissant Dionysos, un Satyre flûtiste et deux Ménades dansant (Basse-Égypte); Amour endormi, trouvé en Ile-de-France. Bronzes de l'Orient grec, d'époque romaine. Bronzes de l'Égypte gréco-romaine : le culte des divinités étrangères se mêle à celui des dieux de la mythologie gréco-romaine; l'Aphrodite grecque porte les attributs de l'Hathor égyptienne. Admirable tête d'un jeune Athlète vainqueur, dite *Tête de l'athlète de Bénévent*★, interprétation romaine d'un chef-d'œuvre de la fin du Ve s. av. J.-C.; figurines en argent; extension de l'art grec dans les pays d'Orient; bronzes de la Gaule romaine, où se manifestent le sens de la nature (nombreux animaux) et beaucoup de sensibilité (remarquer la Jeune fille assise, la Femme malade); bronzes d'Italie, d'un naturalisme plus accentué; bronzes de provenances diverses. Apollon de la Courrière, trouvé en Gaule, mais probablement d'origine italienne; récipients domestiques et ornements de vases. Coq, d'époque romaine, et lit en bronze; belle série de miroirs grecs, à décor en relief. Vitrines de petits bronzes romains. Hermès provenant d'Herculanum. Lampes et candélabres. Grand candélabre romain, en marbre, restauré par J.-B. Piranesi. Armure de gladiateur et ornements de chars. Vitrines de petits bronzes grecs et étrusques, d'armes grecques, italiotes et romaines.

La *collection de bijoux antiques*★ du Louvre permet de suivre l'évolution depuis l'art grec archaïque (VIIIe et VIIe s. av. J.-C.) jusqu'à l'art barbare occidental. L'or y est ouvré selon les diverses techniques du repoussé, de la gravure, de la granulation ou du filigrane. L'utilisation des pierres précieuses et plus tard des perles fines ne commence qu'après l'époque des conquêtes d'Alexandre (IVe s. av. J.-C.).

LES SCULPTURES

Conservateur en chef : M. Jean-René Gaborit. Accès par Denon : pour suivre l'ordre chronologique, le visiteur devra traverser l'ensemble du département afin de gagner la salle 1. Accès direct salle 23, par la porte de Flore ou la porte Jaujard.

Ces collections occupent depuis 1934 le rez-de-chaussée de la galerie du Bord de l'Eau et du pavillon des États, reconstruits par Lefuel à la fin du Second Empire. Une série de belles salles spacieuses et claires mettent en valeur l'ensemble des sculptures, dont les principales pièces sont énumérées ci-après.

Le fonds ancien de ce département a été constitué de façon confuse au gré des modes et des événements, par les commandes royales inutilisées, par des envois de l'État, par les morceaux de réception des artistes de l'Académie royale et par les biens des émigrés. En ce qui concerne le Moyen Âge, la plupart des œuvres exposées proviennent d'églises désaffectées, détruites ou transformées. Au cours des cinquante dernières années, une politique plus suivie des acquisitions a permis, en comblant les lacunes, de montrer une École française presque complète sur le plan chronologique. Toutefois, les œuvres du XIXe s. sont aujourd'hui au Musée d'Orsay.

LE MOYEN ÂGE

Salle 1 : l'art roman

Plusieurs *chapiteaux** témoignent de l'évolution du style et des particularités régionales. Ils proviennent de Sainte-Geneviève de Paris : *Daniel dans la fosse aux lions** (VIe et XIe s.) ; Flavigny (XIe s.) ; Saint-Pons-de-Thomières (Hérault, fin XIe et fin XIIe s.) ; Moutiers-Saint-Jean (Côte-d'Or, XIIe s.). Œuvres de bois polychrome : *tête de Christ*** provenant de Lavaudieu (centre de la France, XIIe s.) ; Christ détaché de la croix (Bourgogne, première moitié du XIIe s.) ; Christ en croix (art allemand, début XIIe s.) ; *Vierge en Majesté*** (Forez, seconde moitié du XIIe s.). En vitrine : *tête de saint Pierre***, qui faisait partie du tombeau de saint Lazare, à la cathédrale d'Autun (XIIe s.), et têtes provenant de l'abbatiale de Saint-Denis. Enfin, portail de l'ancien prieuré d'Estagel (Gard, première moitié du XIIe s.), qui donne accès aux salles gothiques.

Salles 2, 3 : l'art gothique

Salle 2. Chapiteau et colonne portant la statue d'un prophète, qui se trouvait jadis dans le cloître de la cathédrale Notre-Dame-des-Doms, à Avignon (fin XIIe s.). *Statues-colonnes**** portant le roi Salomon et la reine de Saba, du portail de l'ancienne église Notre-Dame, à Corbeil (1180-1190). *Retable**** provenant de Carrières-Saint-Denis et représentant l'Annonciation, la Vierge en Majesté et le Baptême du Christ (seconde moitié du XIIe s.); fragments de frise (personnages et animaux fabuleux), provenant de Notre-Dame-en-Vaux, à Châlons-sur-Marne; deux colonnes historiées provenant de l'abbaye de Coulombs.

Salle 3. L'art des grandes cathédrales du XIIIe s. est représenté par un certain nombre d'œuvres : statue de sainte Geneviève ayant orné le portail de l'église Sainte-Geneviève de Paris (première moitié du XIIIe s.); relief représentant saint Matthieu écrivant sous la dictée de l'ange, provenant du jubé de la cathédrale de Chartres (milieu du XIIIe s.); têtes provenant de Reims (milieu du XIIIe s.); statue de Childebert, provenant de la porte du réfectoire de Saint-Germain-des-Prés. De Notre-Dame de Paris proviennent le groupe de la Descente aux Limbes, qui appartint au jubé (milieu du XIIIe s.), et le relief représentant Pierre de Fayel, chanoine de Paris, sculpté au XIVe s. par ***Jean Ravy*** pour le tour du chœur. Très belle *tête de Christ**, provenant de l'hôtel-Dieu de Tonnerre (vers 1300); statues de *Vierge à l'Enfant*** du XIVe s. provenant d'Ile-de-France (Vierge de La Celle), de Lorraine ou de Normandie. Gisants de Charles IV et de la reine Jeanne d'Évreux, sculptés par ***Jean de Liège*** pour l'abbaye de Maubuisson; *gisant de Charles V**, ayant appartenu à la même abbaye, ou de *Jean de Dormans**, chanoine de Paris, enterré au collège de Beauvais (fin du XIVe s.). Les statues représentant *Charles V*** et *Jeanne de Bourbon***, provenant du palais du Louvre, témoignent de l'admirable renouveau de l'art du portrait au XIVe s. Dans la même salle, retable ayant jadis appartenu à l'église de Nolay (Côte-d'Or; début du XVe s.) et représentant la Vierge et l'Enfant au milieu des douze apôtres.

▸ Deux *passages* permettent de gagner la salle 4 et la salle 5, dite salle Paul-Vitry. Premier passage : statue gisante de Guillaume de Chanac, évêque de Paris, provenant de l'église Saint-Victor (milieu du XIVe s.); Vierge à l'Enfant, pierre polychrome, provenant de Cîteaux (première moitié du XIVe s.); tête de Vierge provenant de la région provençale (XIVe s.) et statue de femme en prière, bois polychrome (début du XIVe s.). Deuxième passage : *tête d'apôtre**, attribuée à ***André Beauneveu***, provenant du château de Mehun-sur-Yèvres (Cher, fin du XIVe s.); statue en marbres noir et blanc de Marie de Bourbon, prieure de Saint-Louis de Poissy (début du XVe s.). ▸ Entre les deux passages, tombeau de Pierre d'Évreux-Navarre et de Catherine d'Alençon; deux culots ornés de figures d'anges, provenant de Bourges, et la Vierge de Pitié de Montmorot (Bourgogne, XVe s.). ▸ *Salle 8* : vestibule d'où part un escalier intérieur qui rejoint la galerie Médicis et dans lequel on verra un grand retable champenois du début du XVIe s. et le Calvaire de Nivelles (Pays-Bas du Sud, fin XVe s.).

Salle 9 : pièces du XIIIe au XVIe s.

Suite de trois alvéoles consacrées aux pièces de petites dimensions du XIIIe au XVIe s.

A (première alvéole) : art précieux du XIVe s., qui privilégie la séduction des marbres noirs et blancs, rehaussés d'or. *Retables** (Sainte-Chapelle de Paris, illustrant les scènes de la Passion, abbaye de Maubuisson, don de la reine Jeanne d'Évreux); fragments de retables; vestiges d'art funéraire (masques ayant appartenu à des statues gisantes, décor d'arcatures); statuettes de la Vierge, dont la très belle *Vierge d'Annonciation****, provenant de Javernant

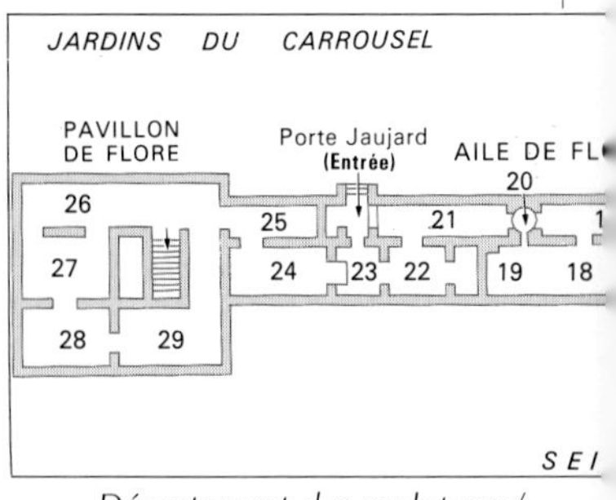

Département des sculptures/

1 Salle romane
2, 3, 4 Salles gothiques
5 Salle Paul-Vitry : le XVe s.
6 Première Renaissance française
7 Salle Jean-Goujon
8 Passage
9 Galerie haute : petite statuaire gothique française
10 Galerie haute : Allemagne et Pays-Bas, XVe-XVIe s.
11, 12 Salles italiennes, XIIIe-XVIe s.
13, 14 Le XVIIe s. français

(Aube). *B (deuxième alvéole) :* œuvres en bois des XIIIe et XIVe s. *Anges*★ destinés au décor des autels et inspirés par l'art rémois, dont le célèbre Ange Sachs. Plusieurs Vierges à l'Enfant, d'Abbeville (fin du XIIIe s.), de Beauvais (XIVe s.). *C (troisième alvéole) :* œuvres en pierre, marbre ou bois de la fin du Moyen Âge. Vitrine consacrée à l'art funéraire, avec une série de *pleurants*★ : pleurante en costume d'abbesse (pierre), par ***Jean de la Huerta;*** deux pleurants du milieu du XVe s., provenant du tombeau du duc Jean de Berry, à Bourges; pleurants provenant des sépultures royales de Poblet (Espagne, XVe s.). Statuette de saint Étienne, témoignant de l'art bourguignon du XVe s., œuvres champenoises (sainte tenant une palme, Vierge à l'Enfant).

Salle 4 : l'art gothique (suite)

On y verra provisoirement, et jusqu'à ce que soit construit dans sa ville d'origine un local spécialement conçu pour elle, une évocation du *jubé de la cathédrale de Bourges*★★★ (milieu du XIIIe s.), consacré aux scènes de la Passion représentées en hauts-reliefs de pierre polychrome, avec des traces de fond de verroterie. Le centre de cette salle est occupé par l'imposant *tombeau de Philippe Pot*★★★, grand sénéchal de Bourgogne, provenant de l'abbaye de Cîteaux. La conception en est originale : huit pleurants portent la dalle sur laquelle est étendu le gisant.

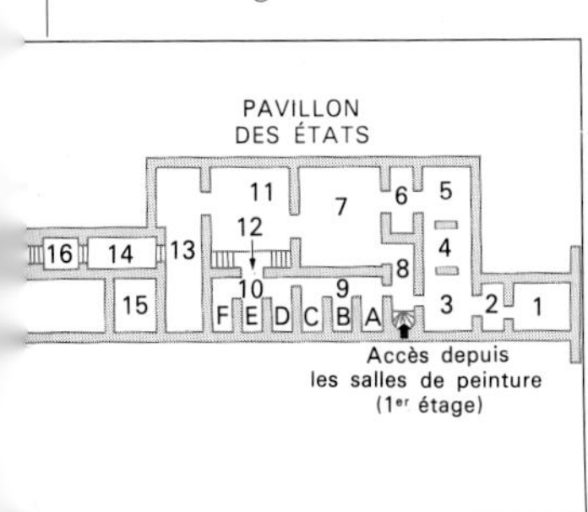

rez-de-chaussée

15 Salle Puget
16 Crypte
17 Galerie rocaille
18 Salle Marly
19 Salle Verte
20 Rotonde de l'Amour
21 Galerie du Vase
22 Salle Houdon
23 Vestibule de Flore
24 Salle néo-classique
25 Salle romantique
26 Salle Barye

Salle 5, dite salle Paul-Vitry : sculpture du XVe s.

*Œuvres bourguignonnes** : Vierge à l'Enfant en pierre peinte et dorée, provenant d'une maison de Dijon; Saint Jean Baptiste, Saint Jacques en pèlerin (provenant de Semur-en-Auxois). Quelques témoins du développement de l'art funéraire à Paris : gisant de Philippe de Morvillers, président au Parlement, enterré à l'abbaye de Saint-Martin-des-Champs, et statue gisante, sculptée par ***Guillaume Vluten***, d'Anne de Bourgogne, duchesse de Bedford, provenant de l'église des Célestins à Paris. Sainte Marie-Madeleine, d'un atelier de l'E. de la France; Saint Georges terrassant le dragon, d'un atelier nivernais.

À ne pas manquer

École française

Statues-colonnes de Corbeil, XIIe s. (salle 2).
Retable de Carrière-Saint-Denis, XIIe s. (salle 2).
Vierge dite de la Celle, XIVe s. (salle 3).
Charles V et Jeanne de Bourbon, XIVe s. (salle 3).
Vierge de l'Annonciation (Javernant), XIVe s. (salle 8).
Jubé de la cathédrale de Bourges, XVe s. (salles 4-5).
Tombeau de Philippe Pot, XVe s. (salles 4-5).
Trois Grâces de Germain Pilon, XVIe s. (salle 7).
Reliefs de la fontaine des Innocents par Jean Goujon, XVIe s. (salle 7).
Diane d'Anet, XVIe s. (salle 7).
Milon de Crotone de Pierre Puget, XVIIe s. (salle 15).
Les chevaux de Marly par G. Coustou, XVIIIe s. (salle 11).
Marie-Adélaïde, duchesse de Savoie en Diane (salle 17) et groupes de Marly par A. Coysevox, XVIIIe s. (salle 18).
L'Amour taillant son arc dans la massue d'Hercule par E. Bouchardon, XVIIIe s. (salle 20).
Mme de Pompadour en Amitié et le Voltaire nu de Pigalle, XVIIIe s. (salle 21).
Portraits de Houdon (salle 22).
Psyché ranimée par le baiser de l'Amour de A. Canova, Premier Empire (salle 24).
Le Lion et le Serpent de A. L. Barye, XIXe s. (salle 26).

École allemande (salle 10)

Vierge à l'Enfant d'Issenheim, XVe s.
Retable de la Passion, de Coligny, XVIe s.

École italienne (salle 12)

Descente de croix (Toscane), XIIIe s.
Vierge assise par Jacopo Della Quercia, XVe s.
Vierge à l'Enfant de Donatello, XVe s.

La Vierge d'Annonciation de Javernant traduit bien l'art gracieux du XIVe siècle.

Œuvres de la fin du Moyen Âge : calvaire provenant de Saint-Léger-les-Troyes ; *statues** de sainte Anne éduquant la Vierge, de saint Pierre et de sainte Suzanne, exécutées pour Anne de Beaujeu par ***Jean de Chartres,*** disciple de Michel Colombe (début du XVIe s.).

LA RENAISSANCE ET LE MOYEN ÂGE ITALIEN

Salle 6 : la première Renaissance française

Bustes du chancelier Duprat et de Louise de Savoie, provenant d'ateliers tourangeaux (début du XVIe s.). Tête de lion et pilastres, provenant de la chapelle du château de Gaillon ; retable, provenant de la même chapelle, sculpté par ***Michel Colombe*** (1430-1511) et représentant *Saint Georges combattant le dragon***. Émouvant tombeau de Renée d'Orléans-Longueville ; l'œuvre était jadis dans l'église des Célestins. Vierge d'Olivet et Vierge d'Écouen (début du XVIe s.). Statues gisantes de Louis de Poncher et de son épouse, par ***Guillaume Regnault,*** neveu de Michel Colombe ; ces gisants étaient autrefois à Saint-Germain-l'Auxerrois.

Salle 7, dite salle Jean-Goujon : la Renaissance française

Au centre, fontaine de marbre provenant de Gaillon. Aux deux extrémités : ***Mathieu Jac-***

quet, cheminée provenant de Villeroy; Porte du Grand Consistoire, provenant du Capitole, à Toulouse, par l'*atelier de Guiraud Millot. Fremyn Roussel :* génie de l'Histoire, sculpté pour le tombeau de François Ier. *Germain Pilon* (1528-1590), le grand sculpteur du XVIe s. : monument funéraire du cœur d'Henri II, figurant *les Trois Grâces****, érigé entre 1560 et 1566 dans l'église des Célestins de Paris; la Résurrection du Christ entouré de deux soldats gardiens du Sépulcre, groupe de marbre exécuté vers 1583 pour la rotonde funéraire de Henri II, à Saint-Denis; Vierge de Douleur en terre cuite, qui servit de modèle à celle de marbre destinée à cette même rotonde; petite esquisse du gisant de Henri II pour le tombeau de Saint-Denis; tombeau de Valentine Balbiani et priant en bronze de son époux, le cardinal Birague, provenant de Sainte-Catherine du Val des Écoliers; trois reliefs provenant de l'église Saint-Étienne-du-Mont, Christ à Gethsémani, Melchisédech et saint Paul; descente de croix en bronze provenant de la chapelle de Birague; deux reliefs de la chaire des Grands Augustins : Prédications de saint Jean Baptiste et de saint Paul; buste d'enfant en marbre. Dans la suite de Pilon s'inscrivent les bustes d'Henri II et Henri III et les quatre figures funéraires en bois qui supportaient la châsse de sainte Geneviève. *Pierre Bontemps* (vers 1505-1568) : statue funéraire de Charles de Maigny, capitaine des gardes du roi, représenté assis en faction et endormi (1557); les gisants accoudés de Jean d'Humières et de l'amiral Chabot sont attribués au même sculpteur, important à la cour de François Ier. *Jean Goujon* (vers 1510-vers 1565) représente l'atticisme français : *Déposition de Croix*** et relief des *Quatre Évangélistes***, qui décoraient le jubé de l'église Saint-Germain-l'Auxerrois (1544-1545); trois grands *reliefs**** allongés, ornés de souples nymphes marines et de putti, provenant de la fontaine des Innocents (1547-1549). *Barthélemy Prieur* prolonge la tradition de Pilon en alliant réalisme et classicisme : monument funéraire de marbres polychromes du connétable Anne de Montmorency; gisants de marbre du même et de sa veuve Madeleine de Savoie; tombeau de Christophe de Thou, alliant à un buste de marbre de couleur deux génies michelangélesques de bronze.

Dans la première alvéole : *François Marchand,* quatre bas-reliefs exécutés pour le jubé de Saint-Père de Chartres (1543); *Dominique Florentin* (vers 1506-vers 1570), reliefs illustrant la vie du duc de Guise, provenant de son tombeau à Joinville. Deuxième alvéole : statue funéraire ébauchée par *Girolamo Della Robbia* pour le tombeau de Catherine de Médicis; gisant accoudé en bronze d'Albert Pie de Savoie, prince de Carpi; moulage du visage d'Henri II, peut-être par *Clouet.* Troisième alvéole : reliefs de bronze de Blondel de Rocquencourt; tireuse d'épine en terre cuite par *Ponce Jacquiot,* sculpteur de la cour d'Henri II; deux anges lorrains de l'*école de Ligier Richier;* Vierge allaitant, terre cuite caractéristique du Maine. Au centre, la *Diane****, provenant du château d'Anet, importante fontaine de marbre, représente l'élégance du maniérisme français.

Salle 11

Au-dessus de la porte, la *Nymphe de Fontainebleau***, provenant aussi d'Anet, a été fondue pour François Ier par le célèbre orfèvre et fondeur *Benvenuto Cellini.* Cette salle était consacrée autrefois à la sculpture italienne, dont il reste encore des monuments d'importance : la porte du palais Stanga à Crémone, deux retables de *Della Robbia* et le Mercure de *Jean Bologne* (1524-1608).

En 1984 et 1986 ont été rentrés, par souci de conservation, quatre grands groupes équestres de marbre qui ornaient le jardin des Tuileries et la place de la Concorde : *Mercure et la Renommée chevauchant Pégase***, par *Antoine Coysevox,* et les *chevaux de Marly****, par *Guillaume Coustou.* Les premiers ont été placés à l'Abreuvoir du parc de Marly en 1702, puis transportés à Paris; les seconds ont pris leur place primitive en 1745.

Salle 10 : Allemagne et Pays-Bas (XVe s.-XVIe s.)

D (première alvéole) : pays germaniques, XVe s. Un saint Wolfgang bavarois, une Vierge à l'Enfant d'Uzgorod (Hongrie) et une Vierge de la région de Salzbourg représentent le « Beau Style » (Weicher Stil) du début du XVe s. La Vierge de l'abbaye d'Eberbach (Rhin moyen) et la Vierge de Pitié en albâtre (Rhénanie?) sont un peu plus tardives. Les autres sculptures témoignent du renouvellement du style à la fin du XVe s. : un diacre attribué au Maître du retable de Kefermarkt (Haute-Autriche), un buste d'évêque (Tyrol), un ange volant (Nuremberg), la monumentale *Vierge à l'Enfant d'Issenheim**** (près de Colmar), Sainte Anne portant la Vierge de Wasserburg, le relief de la Nativité (région de Colmar).

E (deuxième alvéole) : pays germaniques, fin du XVe s. et XVIe s. La délicate Vierge de l'Annonciation de Saint-Pierre d'Erfurt est l'œuvre du célèbre *Tilman Riemenschneider* (vers 1460 - Wurzburg, 1531). Plusieurs sculptures souabes autour de 1500 sont pour la plupart sorties des ateliers d'Ulm : une *Sainte Madeleine*** de ***Gregor Ehrart*** (né à Ulm-Augsbourg, 1540), un groupe de prélats de l'***atelier de Daniel Mauch*** (Ulm, 1477-Liège, 1540), un Christ en prière d'un groupe du Mont des Oliviers, une Sainte Parenté et un Docteur de l'Église. Deux vitrines abritent des œuvres de la Renaissance, notamment une Sainte Famille en pierre de Solnhofen d'après une gravure de Dürer, attribuée à ***Viktor Kayser*** (Augsbourg, cité à partir de 1516-mort en 1552), le précieux petit buste en albâtre d'Ottheinrich, prince électeur du Palatinat, donné à ***Dietrich Schro*** (connu de 1545 à 1568), et le Calvaire du Flamand ***Willem van den Broek,*** dit Guilielmus Paludanus (Mâlines 1530-Anvers 1579-1580), qui a aussi travaillé pour Augsbourg.

F (troisième alvéole) : Pays-Bas, XVe s. et XVIe s. Les différents centres de production des Pays-Bas du Sud (Belgique actuelle) sont représentés par un fragment d'épitaphe avec saint Christophe, un donateur et ses fils, en pierre de Tournai, un Saint Sébastien flamand, quelques statuettes qui portent la marque de Mâlines (les trois pals), un Ange de l'Annonciation, brabançon, en pierre, une jolie Vierge à l'Enfant assise sur un pliant qui a la marque des ateliers de Bruxelles (le maillet) et une série importante de sculptures avec la marque des ateliers d'Anvers (la main), fragments épars de retables, et surtout le *grand retable de la Passion**** importé d'Anvers pour orner l'église de Coligny (Marne), dont il provient.

Des Pays-Bas du Nord (Pays-Bas actuels) sont originaires une Nativité de l'***entourage d'Adriaen van Wesel*** (Utrecht, vers 1417-vers 1490), une Vierge à l'Enfant attribuée à ***Jan van Nude*** (cité à Utrecht, 1450-1494) et plusieurs statues de la région du Rhin inférieur, notamment un Saint Léonard et un Saint Antoine.

Salle 12, galerie basse : sculpture italienne du XIe au XVe siècle

De part et d'autre de l'escalier, deux statues de la façade détruite du dôme de Florence; à dr., *Vierge d'Annonciation*** (XIVe s.) de ***Nino Pisano;*** en face, *Descente de Croix****, groupe en bois polychrome, œuvre d'un atelier actif en Ombrie et dans le Latium, dans le second quart du XIIIe s. ; à sa g., ambon, provenant de Pomposa (début du XIIe s.).

Dans l'alvéole à dr., *Vierge à l'Enfant assise*** (XIIIe s.), provenant du cloître de San Francisco, à Ravenne, où elle aurait indiqué l'emplacement de la tombe de Dante; la Foi, fragment présumé du tombeau de saint Dominique à

Bologne *(atelier de Nicola Pisano);* quatre caryatides (Vertus), provenant d'un tombeau napolitain.

À g. de l'escalier, œuvres de l'*atelier des Della Robbia* (XVe s.), spécialisé dans l'exécution des *sculptures en terre émaillée**, en blanc sur fond bleu pour les plus anciennes, polychromes pour les plus tardives.

Dans les alvéoles suivantes, à dr. : *Vierge à l'Enfant***, terre cuite peinte et dorée, œuvre originale de *Donatello* et stuc polychrome exécuté par son atelier, du type de la « Madone dite des Pazzi » ; *Desiderio da Settignano,* Jules César, relief en marbre, et Saint Jean Baptiste et le Christ enfant, grand médaillon de marbre provenant des collections des Médicis ; buste de femme en bois, dite « la Belle Florentine » ; Vierge à l'Enfant entouré de six anges, terre cuite originale de *Luca Della Robbia; Gian Cristoforo Romano,* buste de Béatrice d'Este, duchesse de Milan ; œuvres de l'*atelier des Mantegazza,* sculpteurs actifs à la chartreuse de Pavie à la fin du XVe s. ; *Francesco Laurana,* buste d'une princesse de la famille d'Aragon.

Au fond de la salle, *Vierge assise****, bois polychrome, attribuée à *Jacopo Della Quercia* et, de chaque côté, deux fragments de la tombe de Paul II à Saint-Pierre de Rome *(Mino da Fiesole, Giovanni Dalmata).*

Sur le mur à dr., en revenant vers l'escalier, buste d'Alfonse d'Aragon roi de Naples, par *Pietro da Milano; Madone dite d'Auvillers**, exécutée par *Agostino di Duccio,* sans doute pour Pierre de Médicis ; buste de Filippo Strozzi par *Benedetto da Majano;* Saint Christophe par le Siennois *Francesco di Giorgio Martini.* Adossé au pilier central, buste de *Diotisalvi Neroni** par *Mino da Fiesole,* daté de 1464.

LE XVIIe SIÈCLE

Salle 13 : première moitié du XVIIe s., d'Henri IV à Louis XIV

À dr. : alvéoles dédiées à la sculpture profane. Œuvres de la seconde école de Fontainebleau sous Henri IV. *Mathieu Jacquet :* relief provenant du décor de marbre de la Belle Cheminée de Fontainebleau (1598-1602), tête de bronze de Henri IV, buste de bronze de Jean d'Alesso, médaillon du poète Philippe Desportes. *Pierre Francheville* s'étant formé auprès de Jean Bologne à Florence, quelques œuvres (la Géométrie, esquisse de la statue du Duc de Toscane) soulignent l'origine florentine de ce sculpteur d'Henri IV ; auteur des quatre *Esclaves*** de bronze de la statue d'Henri IV au Pont-Neuf, de l'Orphée et du David en

L'enseignement de la sculpture

Fondée en 1648, l'Académie était le lieu principal d'enseignement artistique. Le futur sculpteur entrait vers quatorze ans dans l'atelier d'un maître. Puis, au fil des concours, il gravissait les échelons pour devenir pensionnaire de l'Académie de France à Rome. Toute carrière officielle était couronnée par l'entrée à l'Académie – dont le nombre des membres n'était pas limité. Pour être reçu, le futur académicien devait franchir deux étapes. Il devait d'abord présenter une ou plusieurs œuvres significatives : les morceaux d'agrément. Une fois agréé, le candidat se voyait imposer un sujet obligatoire pour le morceau de réception. Au XVIIIe s., celui-ci était généralement une statuette de ronde-bosse, en marbre, au sujet tiré de la mythologie ou de l'histoire antique, parfois de la Bible ou des martyres de saints. Cette série de chefs-d'œuvre, conservée à l'Académie, fut versée au Louvre après la Révolution.

marbre, exemples du maniérisme français. Le beau groupe de l'*Enlèvement de Psyché par Mercure**, œuvre du Hollandais *Adrien De Vries,* exécuté pour l'empereur Rodophe II, permet d'évoquer la complexité raffinée du maniérisme européen. Par la suite, un baroque tempéré domine avec *Jacques Sarrazin,* auteur du groupe des Enfants à la chèvre, dont le piédestal fut ajouté lorsque l'œuvre fut placée à Marly au début du XVIIIe s. Des reliefs de marbre, satyres et putti, grâces, tritons, néréides ou centaures, sculptés par *Gérard van Opstal,* évoquent les bacchanales et le goût de l'enfance du premier classicisme français.

À dr. de l'entrée, l'art royal est évoqué par le monument du pont au Change, dressé par *Simon Guillain* vers 1647, qui comprend les statues de bronze de Louis XIII, de Marie de Médicis et du jeune Louis XIV, dont la régence est confiée à sa mère. Un buste de bronze du roi Louis XIII montre le réalisme de l'art du portrait français. En contrepoint, les bustes du *Bernin,* Richelieu et Urbain VIII, évoquent le grand portrait baroque.

L'art funéraire est représenté par l'envol maniériste de la *Renommée** de bronze que *Pierre Ier Biard* avait érigée au sommet du tombeau du duc d'Épernon, à Cadillac. L'évolution de la sculpture des priants funéraires se poursuit, depuis la rigidité de Marie de Barbanson-Cani par *Barthélemy Prieur* (partie du monument de Thou), ou encore celle d'Amador de la Porte par *Michel II Bourdin,* en passant par la souplesse de la princesse de Condé par *Simon Guillain,* jusqu'au mouvement plus accentué du tombeau de Jacques-Auguste de Thou, où la jeune Gasparde de la Châtre, sculptée par *François Anguier* (1604-1669), se penche vers le spectateur, ou bien l'agenouillement de Charles de Vieuville, sculpté par *Gilles Guérin* (1611-1678) pour les Minimes, ou encore la grande offrande mystique de soi qu'exprime le *Cardinal de Bérulle***, sculpté par *Jacques Sarrazin.* Des monuments du cœur, du duc de Longueville par *François Anguier,* du duc de Brissac par *Étienne Le Hongre,* expriment des recherches plus intellectuelles d'allégories. *Jacques Sarrazin* (1592-1660) s'affirme comme le grand sculpteur du début du règne de Louis XIV. Après un long séjour romain, il est l'auteur des reliefs du monument du cœur de Louis XIII, provenant de Saint-Louis des Jésuites, d'un buste de Louis XIV, des statuettes de saint Pierre et de Madeleine, et d'une Vierge à l'Enfant en terre cuite.

▶ *Escalier :* les quatre reliefs sont des morceaux de réception à l'Académie de peinture et de sculpture, dont ceux de *François Girardon* et *Gaspard Marsy.*

Salle 14 : galerie des Enlèvements

La série des morceaux de réception à l'Académie se poursuit à dr. avec des reliefs à la gloire de Louis XIV par *Desjardins, Rousselet, Hardy, Prou, Nicolas Coustou.* Le portrait vivant de Boileau par *Girardon,* le regard autoritaire du *Grand Condé*** par *Antoine Coysevox* et la pompe officielle de Jules Hardouin-Mansart par *Lemoyne* manifestent trois sensibilités de l'art du portrait. Le décor de jardin est évoqué par les termes des saisons provenant de Saint-Cloud et surtout par des épaves du parc de Versailles : des vases par *Girardon* et deux enlèvements symbolisant la Terre et l'Air par *Thomas Regnaudin* et *Gaspard Marsy.*

Salle 15 : salle Puget

Elle est dédiée à trois personnalités : Pierre Puget, Martin Desjardins et Michel Anguier.

Pierre Puget (1620-1694), le grand sculpteur baroque de Provence, formé à Rome, Gênes et Florence, fut un artiste complet, architecte, peintre et sculpteur. Il réalisa trois grands marbres pour Louis XIV : *Persée enlevant Andromède**, le grand relief de la rencontre entre *Alexandre et Diogène** et le *Milon de Crotone**** exécuté en douze ans, placé en 1682 à Versailles, composition qui manifeste le sens du drame humain et où dominent l'émotion, la puissance et la construction des volumes. L'Hercule gaulois, œuvre de jeunesse, et un dramatique Christ en croix, dans la vitrine, complètent ce panorama du baroque en France.

Autre sculpteur majeur, *Martin Desjardins,* d'origine hollandaise, a laissé, outre un beau buste de Colbert de Villacerf, le décor de bronze du piédestal de la statue de Louis XIV, place des Victoires, composé de quatre reliefs historiques et de quatre médaillons de bronze. Pour compléter le décor, d'autres médaillons de bronze, exécutés par *Arnoul* et *Le Nègre* sur des dessins du peintre *Mignard,* furent placés sur des colonnes aux angles de la place ; trois sont exposés dans la salle.

Enfin, l'art plus classique de *Michel Anguier* (1612-1686) est représenté par le groupe de terre cuite d'Hercule et Atlas, offert par lui à l'Académie de sculptures, et le marbre d'Amphitrite, exécuté pour le parc de Versailles.

Salle 16 : crypte

Au centre, réduction de la statue équestre de Louis XIV érigée place Vendôme, sculptée par *François Girardon.* Sur les parois, quatre exemples de bustes classiques : celui de Pierre Mignard, à la tension aiguë, est dû à *Martin Desjardins ;* les trois autres – Le Brun, Colbert et Marie Serre – illustrent l'évolution d'*Antoine Coysevox,* depuis la frontalité de son morceau de réception jusqu'à l'ornement du buste féminin, qui conserve une émotion contenue.

Les vitrines offrent, à dr., des exemples de terres cuites religieuses par *Jean Dubois, Paillet, du Goullons.*

LE XVIIIe SIÈCLE

Les œuvres exposées permettent de suivre l'évolution de la sculpture française des dernières années du règne de Louis XIV à la fin du règne de Louis XV. Il s'agit d'une sélection de pièces représentatives dans une sobre mise en scène.

Salle 17, galerie Rocaille

Dans cette salle sont réunis les témoignages les plus importants du décor des jardins du début du XVIIIe s. Jardins du duc d'Antin à Petit-Bourg (*Coysevox : Marie-Adélaïde*★★★, duchesse de Savoie, en Diane ; *N. Coustou :* Louis XV en Jupiter ; *G. Coustou :* Marie Leczinska en Junon), Marly (*N. Coustou :* Jules César ; *S. Slodtz :* Annibal ; *Frémin :* Flore, compagne de Diane). Au fond de la galerie, encastré dans le mur, le Dragon monumental, provenant d'une maison proche de Saint-Germain-des-Prés, est un exemple de style rocaille appliqué à la décoration civile. On verra aussi quelques-uns des *morceaux de réception à l'Académie*★★, dont le musée du Louvre possède la série

« La Renommée » de Pierre Biard, bon exemple de l'art funéraire du XVIIe siècle.

presque complète pour le XVIIIe s. Ces ouvrages, précisément datés, sont particulièrement précieux pour suivre l'évolution du style et du goût : *G. Coustou,* 1704 ; *Cayot,* 1711 ; *Coudray,* 1712 ; *Dumont,* 1713 ; *J.- B. Ier Lemoyne,* 1715 ; *Bousseau,* 1715 ; *Thierry,* 1717 ; *A. Slodtz,* 1743 ; *Hutin,* 1747. Dans les deux vitrines, œuvres de *N. Coustou, Le Lorrain* et *M. A. Slodtz.*

Salle 18, salle Marly

Comme dans la salle précédente, l'accent est mis sur la sculpture de jardin, en particulier la

---

La série des Grands Hommes

Durant le règne de Louis XVI, la plupart des commandes royales était destinées au décor du Muséum et plus spécialement à la Grande Galerie du Louvre. La série des portraits des Grands Hommes, commencée en 1776, correspond à ce projet.
Tous les deux ans, on demandait un groupe de quatre statues à quatre sculpteurs. C'est ainsi que dix-sept artistes, parmi lesquels Pajou, Caffieri, Julien, Clodion, Houdon, ont réalisé trente statues. La série commençait au Moyen Âge par Du Guesclin, privilégiait les penseurs et généraux du XVIIe s. et s'achevait au XVIIIe s. par Montesquieu et d'Alembert, dont la statue ne fut réalisée qu'en 1808.
Cette entreprise inaugurait l'intérêt pour l'histoire, qui allait se développer au XIXe s.

---

statuaire du parc de Marly : quatre *groupes**** de *Coysevox* (la Seine, la Marne, Neptune et Amphitrite) et une statue (Faune flûtiste) décoraient la cascade dite la Rivière, de même que les trois groupes de *N. Coustou* (Chasseur au repos, Nymphe au carquois et Nymphe à la colombe). L'Amphitrite de *Prou* et la Compagne de Diane de *Flamen,* également à Marly, font partie d'ensembles différents. Les deux copies d'après l'antique de *Coysevox* (Vénus accroupie et Nymphe à la coquille) proviennent des jardins de Versailles.

Salle 19, dite salle Verte

Cette petite salle est consacrée à la suite des morceaux de réception (*L.-S. Adam,* 1737; *Ladatte,* 1741; *Pigalle****,* 1744; *Bouchardon,* 1745; *N.-S. Adam,* 1762), à de petits marbres précieux (*Caffieri,* monument : la mémoire de Mme Favart; *Falconet,* Baigneuse) et à des bustes en terre cuite (N. Coustou par *G. Coustou; Louis XV enfant*** par *Coysevox;* N. N. Coypel par *J.-B. Lemoyne;* Madame Favart par *Defernex; Autoportrait*** de *Pigalle*). L'art monumental est évoqué par des maquettes en cire (*Bouchardon,* projet pour le tombeau du cardinal de Fleury; *Pigalle,* mausolée du maréchal de Saxe) et une réduction en bronze (*J.-B. Lemoyne,* monument de Louis XV à Rouen).

▸ *Salle 20, dite rotonde de l'Amour.* Elle est dédiée à *Bouchardon : l'Amour taillant son arc dans la massue d'Hercule****; esquisse de la Marne (fontaine de la rue de Grenelle).

Salle 21, galerie du Vase

Elle est consacrée aux sculpteurs de Louis XV. Le mécénat de Mme de Pompadour est souligné par la présence de la Poésie lyrique *(L.-S. Adam)* et de la Musique *(Falconet)* exécutées pour le château de Bellevue, par un certain nombre d'œuvres de *Falconet*** (Amour menaçant, Pygmalion) et de *Pigalle* (l'Amour et l'Amitié, *Mme de Pompadour en Amitié****). De *Pigalle* également, le *Voltaire nu****, dont la conception déconcerta les contemporains, et les deux célèbres Enfants à la cage et à l'oiseau.

La Baigneuse, ou Vénus au bain, et la Diane surprise d'*Allegrain* proviennent au contraire des collections de Mme du Barry, de même que l'Amour de *Boizot* et l'*Amour** de *Vassé,* ainsi que la Comédie de ce dernier. La favorite protégea la carrière de *Pajou,* dont on voit en particulier une œuvre de jeunesse, Marie Leczinska, et le chef-d'œuvre de sa maturité : *Psyché abandonnée***.

Se poursuit ici la suite des morceaux de réception (*Vassé,* 1751; *Falconet,* 1754;

Gillet, 1757; *Caffieri,* 1759; *Pajou,* 1760; *Mouchy,* 1768).

Au centre de la salle, un vase dû à *Verberckt,* sculpté pour Choisy, et une réduction en bronze de la statue équestre de Louis XV par *Bouchardon.* Une vitrine expose quelques médaillons en cire *(J.-B. Nini)* et en terre cuite *(D. Chassel).*

Salle 23, vestibule de Flore

Cette salle de passage est ornée d'un grand vase décoratif en tôle et de quatre *Hommes Illustres*** français qui ont fait partie d'une série commandée par le comte d'Angiviller et destinée à la Grande Galerie du Louvre (→ *encadré*) : de *Julien,* La Fontaine composant « Le renard et les raisins », et le peintre Nicolas Poussin ; de *Pajou,* l'écrivain Blaise Pascal avec à ses pieds les « Pensées » et les « Provinciales » ; et de *Caffieri,* Pierre Corneille (on peut lire la liste de ses pièces de théâtre).

▸ Dans le passage menant à la salle 22 sont aménagées deux vitrines qui présentent des effigies d'enfants en terre cuite (chefs-d'œuvre de *Houdon : Louise et Alexandre Brongniart**** ; *Couasnon)* et en plâtre *(Houdon :* Sabine Houdon ; *J.-B. Lemoyne*).

Salle 22, dite salle Houdon

Il est recommandé de se rendre dans le fond de la salle, à g., où est regroupé un impressionnant ensemble d'œuvres de *Houdon**** (1741-1828). Autour de la Diane chasseresse en bronze et du Mausolée du cœur du comte d'Ennery (marbre signé et daté 1781), on peut admirer d'exceptionnels portraits, aussi bien de la fille de Louis XV (Madame Adélaïde) et d'une cantatrice célèbre (Sophie Arnould) que d'hommes politiques (Washington, Benjamin Franklin), de philosophes (Rousseau, Voltaire, Diderot) et de familiers (Madame Houdon, plâtre original).

En revenant sur ses pas, on peut remarquer deux bustes de *Pajou :* celui de *Madame du Barry***, en marbre, qui provient de Louveciennes – altière effigie qui fut pastichée et est devenue l'emblème d'une certaine vision du XVIIIe s. –, et celui du graveur *Basan***, en négligé d'artiste. De *J.-L. Vassé,* la Douleur, provenant du tombeau de Feydeau de Brou, illustre bien la grâce un peu mièvre qui imprégnait l'art funéraire à l'aube du néo-classicisme. Deux œuvres de *Julien, Ganymède et l'Aigle de Jupiter***, et le *Gladiateur mourant***, son morceau de réception (1779) – de même que l'Abel mort de *Stouf* (1785) –, annoncent le XIXe s. par une retenue de l'effet et une nette influence du goût antique. Deux terres cuites

Le buste en terre cuite d'Alexandre Brongniart est un des chefs-d'œuvre de Houdon.

de moyennes dimensions de *Pajou* (Anacréon coupant les ailes de l'Amour, Fleuve) répondent à l'ensemble des petites terres cuites exposé dans deux vitrines (œuvres de *Clodion, Moitte, Gois, Guiart, Sergel*). Les bustes provinciaux *(Attiret, Breton)* sont confrontés ici avec ceux des Académiciens parisiens, tels *Pigalle* (le « Compère » Diderot) et *Caffieri* (*le chanoine Pingré***).

LE XIXe SIÈCLE

Par suite du déménagement des œuvres de la seconde moitié du XIXe s. au Musée d'Orsay, les salles 27 à 30 ont été réaménagées autour des Esclaves de Michel-Ange, pour présenter la sculpture italienne du XVIe s. (Rustici, Pierino da Vinci, Mosca, Vittoria, l'Antico), du XVIIe s. (le Bernin, Foggini, l'Algarde, Mazzuoli) et du XVIIIe s. (Corradini), ainsi que la sculpture baroque des Pays-Bas (Quellin, Pompe, Delvaux).

Salle 24 : le Premier Empire

On pourrait appeler cette galerie la salle Psyché, car cette figure mythologique y est à l'honneur. *Antonio Canova* (1757-1822) : *Psyché ranimée par le baiser de l'Amour****, *Amour et Psyché***. *François Nicolas Delaistre* (1746-1832) : Amour et Psyché. *Denis Antoine Chaudet* (1763-1810) : *l'Amour**, *la Paix** (argent) ; et dans un style plus viril : Œdipe et Phorbas. *J.-C. Marin :* Baigneuse. *James Pradier* (1790-1852) : *Niobide blessé**. *Claude Ramey* (1754-1838) : Napoléon en costume de sacre. *Pierre Chinard* (1756-1813) : Madame de Verninac sous les attributs de Diane chasseresse, et plusieurs petites esquisses en terre crue.

Henri-Joseph Ruxthiel (1775-1837) : Zéphyr enlevant Psyché. *Bertel Thorvaldsen* (1770-1844) : *Vénus à la pomme**, la Charité. *Jacques Edme Dumont* (1761-1844) : buste de Marceau. *Charles Louis Corbet* (1758-1808) : buste de La Tour d'Auvergne. *Claude Michallon* (1751-1799) : buste d'Alexandre Lenoir. *Philippe Laurent Roland* (1746-1816) : buste de mademoiselle Roland en marbre. *François Milhomme* (1758-1823) : buste d'Andromaque en plâtre.

Salle 25, salle romantique

Dans cette première salle sont présentées des œuvres des années 1820-1840 qui, bien que contemporaines, sont très diversement touchées par le sentiment romantique. Les sculpteurs encore antiquisants sont *François Joseph Bosio* (1768-1845) – avec une statue couchée de Hyacinthe, le favori d'Apollon ; *Henri IV enfant***, statue en argent ; la nymphe Salmacis ; Marie-Amélie, reine des Français (modèle en plâtre), – *Jaley* (1802-1866) : la Prière, et *J.-P. Cortot* (1787-1843) : Daphnis et Chloé.

Jean-Jacques, dit *James, Pradier* (1792-1852), néo-classique par ses sujets, est représenté par des femmes d'un sensualisme bien éloigné de l'art de Canova : Psyché, *les Trois Grâces****, *Satyre et Bacchante**, et une esquisse en terre cuite : Diane et Endymion.

Hippolyte Maindron (1801-1886) : Velléda, druidesse évoquée par Chateaubriand dans « Les Martyrs ».

François Rude (1784-1855) : sa vigueur et sa fougue en font un des plus grands sculpteurs de l'époque romantique. Mercure rattachant sa talonnière se rapproche plus du maniérisme Renaissance que de l'art antique. *Jeune pêcheur napolitain***, présenté au premier Salon de la sculpture romantique (1831), et deux *esquisses*** pour la Marseillaise de l'arc de triomphe de l'Étoile.

Une vitrine présente de petites esquisses très vivantes de *Rude* en cire et en terre cuite, ainsi que des bronzes de *Feuchère, David d'Angers, Gechter* et *Pradier.* Quelques médaillons montrent la très importante production de *David d'Angers* (1788-1856), qui réalisa les portraits de toutes les célébrités de son temps.
▸ Dans le passage, un portrait du fils de David d'Angers par son père : l'Enfant à la grappe ; Roland furieux de *Duseigneur* (1808-1866), inspiré du poème de l'Arioste. Quelques statuettes portraits typiques de la monarchie de Juillet : *Barre* (1811-1896), *Rachel** et Madame Paul Delaroche, toutes deux en ivoire ; *Carle Elshoect* (1797-1856), la danseuse Thérèse Elsslet.

Salle 26, salle Barye

Elle a été amputée de certaines œuvres tardives de cet artiste, notamment tout son travail pour le Louvre de Napoléon III, actuellement présenté au Musée d'Orsay, qui, dans le cadre du Grand Louvre, sera exposé dans une salle consacrée au décor du palais. L'originalité d'*Antoine-Louis Barye* (1795-1875) tient à son observation précise et vivante du monde des animaux, qu'il présente souvent dans des scènes d'une fougue et d'une passion toute romantique. Ses bronzes sont généralement d'une exceptionnelle qualité. Celui du *Lion et serpent*★★★, dont le modèle en plâtre fit partie du premier Salon de la sculpture romantique (1831), fut fondu à la cire perdue par *Honoré Gonon,* qui exécuta d'autres bronzes importants pour Barye : *Tigre et gavial*★, *Angélique enlevée par Roger sur l'hippogriffe,* groupe inspiré du « Roland furieux » de l'Arioste. Plusieurs *modèles en plâtre*★ retouchés à la cire sont présentés, dont trois pièces du surtout de table fondu en argent pour le duc d'Orléans en 1838 : Chasse au lion, Chasse au taureau sauvage et Éléphant monté par un Indien.

Plusieurs esquisses de *Barye* en cire (Tigre en sphinx) ou en plâtre retouché à la cire sont présentées dans les vitrines : les Trois Grâces, Minerve, Apollon et surtout la *Chasse au lion*★★ et la *Chasse au taureau sauvage*★★, maquettes pour le surtout de table du fils de Louis-Philippe.

LES PEINTURES

Conservateur en chef : M. Pierre Rosenberg. Accès : de la pyramide et du hall Napoléon, se diriger vers le pavillon Sully et prendre les escaliers Henri II et Henri IV, récemment restaurés, qui mènent aux premières salles de peinture française, au 2e étage.

Les collections de peintures françaises (du XIVe siècle à la fin du règne de Louis XIV) sont présentées en un parcours chronologique sur 2 900 m^2, dans 12 nouvelles salles de l'aile nord et nord-ouest de la Cour Carrée. Le circuit de présentation continue, au 1er étage, dans la Grande Galerie et l'aile Mollien (XVIIIe et XIXe s.), dans les salles Mollien, Denon et Daru (grands formats).

La peinture italienne est présentée dans la Grande Galerie (XIIIe-XVe s.), la salle des États (XVIe s.), le Salon Carré (XVIIe s.), l'aile de Flore (XVIIe et XVIIIe s.). À la fin de la Galerie de Flore est présentée la collection Beistegui.

Les écoles nordiques – flamande, hollandaise et allemande – sont réparties chronologiquement dans le Louvre (XVe s., XVIe s. : petits cabinets côté Seine; XVIIe s. : petits cabinets côté Tuileries, salles Van Dyck, Médicis et des Sept-Mètres (Rembrandt).

L'école espagnole est présentée dans le pavillon de Flore, l'école anglaise ainsi que les donations Croÿ et Victor Lyon dans la salle zénithale, au 2e étage de l'aile de Flore.

LA PEINTURE FRANÇAISE, COUR CARRÉE, 2e ÉTAGE

La première pièce est consacrée à la vie du département (acquisitions, restaurations, tableaux prêtés à l'étranger, expositions temporaires en cours ou en préparation...).

Une vaste salle attenante (salle Sully), conçue pour le repos et l'information du public, offre une magnifique vue sur la perspective Pyramide - Carrousel - Étoile - Défense. Un chargé d'accueil y répond aux questions des visiteurs. Un comptoir de librairie propose des ouvrages sur la peinture et des cartes postales. Le mobilier de cette salle est dû à Jean-Michel Wilmotte.

Salle 1 : le XIVe siècle

Au XIVe s., la peinture de chevalet s'est considérablement développée : *portrait du roi Jean le Bon, roi de France**** (1319-1364), le plus ancien tableau de chevalet conservé de la peinture française ; il représente soit Jean le Bon avant son couronnement en 1350, puisqu'il est représenté sans couronne, soit son fils aîné, le futur Charles V. *Parement de Narbonne*** (vers 1375), peinture à l'encre de Chine sur soie, commandée par Charles V (de chaque côté de la Crucifixion, portraits du roi et de la reine Jeanne de Bourbon) pour orner l'autel de la cathédrale de Narbonne. Le retable de Thouzon, v. 1410-1420, offre un lointain écho des cycles de fresques d'Avignon du siècle précédent.

Salle 2 : le XVe siècle

Le roi Charles V et ses trois frères, Louis d'Anjou (mort en 1384), Jean, duc de Berry (mort en 1416), et Philippe le Hardi, duc de Bourgogne (mort en 1404), partagèrent le même goût pour les arts et suscitèrent par leurs commandes de nombreuses créations artistiques. D'***Henri de Bellechose,*** peintre du duc de Bourgogne de 1415 à 1440-1444, on peut voir la Dernière Communion et le *Martyre de saint Denis***, grand retable peint en 1415-1416 pour la chartreuse de Champmol, près de Dijon ; ***Jean de Beaumetz,*** peintre du duc de Bourgogne de 1375 à 1396, est l'auteur du *Calvaire au Chartreux**, pour la même chartreuse ; grande *Pietà ronde***, attribuée à ***Jean Malouel,*** peintre du duc de Bourgogne de 1397 à 1415 : le tableau aurait été commandé par Philippe le Hardi, duc de Bourgogne, dont les armes sont peintes au revers ; petite Pietà ronde et Mise au Tombeau, d'un atelier dijonnais ou parisien ; ***Jacquemart de Hesdin,*** peintre du duc de Berry de 1384 à 1409, est l'auteur du Portement de Croix.

Après son effondrement avec le pouvoir politique, vers 1420, la peinture française ressuscite au milieu du XVe s. dans le Midi et sur les bords de la Loire. C'est la génération des plus grands créateurs (Fouquet, le Maître de l'Annonciation d'Aix, Enguerrand Quarton), qui fondent un art neuf et personnel sur l'observation à la fois sensible et stylisée du réel, avec un succès particulier dans le portrait (souci de grandeur simple et d'équilibre). ***Jean Fouquet*** (vers 1420-vers 1480) : *Portraits** de Charles VII, œuvre individualisée et tout à fait dans la tradition gothique, et de Guillaume Juvénal des Ursins. À la fin du siècle, ***Jean Hey,*** traditionnellement connu sous le nom de ***Maître de Moulins,*** est à la frontière du

Équilibre, noblesse et pathétisme définissent La Pièta d'Enguerrand Quarton.

gothique finissant et de la Renaissance nordique : Enfant en oraison, qui pourrait être Suzanne de Bourbon, petite-fille par sa mère de Louis XI; fragments d'un *triptyque des Bourbons*** : portrait de Pierre de Beaujeu, gendre de Louis XI, avec saint Pierre, et d'Anne de France présentée par saint Jean l'Évangéliste; portrait d'une donatrice avec sainte Madeleine. *Nicolas Froment :* diptyque des Matheron représentant le roi René et sa femme Jeanne de Laval. *Pietà d'Avignon**** : la beauté de l'œuvre, son équilibre, sa noblesse et l'incommensurable pathétique des expressions font de cette Pietà, attribuée à *Enguerrand Quarton,* un des sommets de l'art chrétien. De l'*école d'Avignon* également : retable de Boulbon (vers 1457). *Josse Lieferinxe* (originaire du Hainaut, mais ayant travaillé en Provence) : Calvaire et Adoration de l'Enfant, qui font partie d'un retable aujourd'hui disparu. Peinture d'origine flamande : retable du Parlement de Paris (vers 1455). Atelier d'Amiens : Messe de saint Grégoire et Sacerdoce de la Vierge.

Salle 3 : le XVIe siècle, la première école de Fontainebleau

À son retour de captivité en 1530, François Ier décide d'installer sa cour au château de Fontainebleau tout récemment construit et appelle de nombreux artistes français, italiens et flamands pour le décorer. Dans de grandes compositions à fresque, ils interprètent les thèmes mythologiques et allégoriques, qui, diffusés par la gravure, auront un énorme succès. Les sujets érotiques, les proportions allongées des figures, les contours linéaires, dans des couleurs claires, sont caractéristiques de ce style.

Jean Cousin le Père (vers 1430-vers 1561) : *Eva Prima Pandora**, un des premiers nus français; *Jean de Gourmont* (vers 1483-apr. 1551) : Adoration des Bergers, qui provient

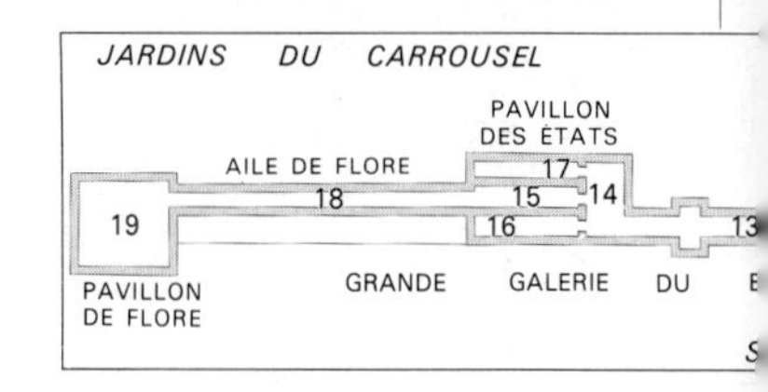

Département des peintures /

1 Salle Percier et Fontaine
2 Salle Duchâtel : école française, XIVe s.
3 Salon Carré : école française, XVe et XVIe s.
4 Grande Galerie, première partie : école française, XVIIe et XVIIIe s.
5 Aile Mollien : école française, XVIIIe s.
6 Salle Mollien : école française, XIXe s.
7 Salle Denon : école française, XIXe s.
8 Vestibule de la salle des États : école italienne, XVIe s.
9 Salle des États : école italienne, XVIe s.
10 Salle Daru : école française, XIXe s.
11 Salle des Sept-Cheminées : école italienne, XVIIe s.
12 Salle des Sept-Mètres : école hollandaise, XVIIe s.

de la chapelle du château d'Écouen; ***Luca Penni*** (?), élève de Raphaël qui a travaillé à Fontainebleau de 1537 à 1540 : la Justice d'Othon (don de la Société des Amis du Louvre, 1973). ***Première école de Fontainebleau*** (vers 1530) : *Diane chasseresse*★ (portrait idéalisé de Diane de Poitiers, maîtresse d'Henri II?), Diane et Actéon, la Charité.

Avec la Renaissance, qui reportait sur la créature humaine une grande part de l'attention qui, pendant des siècles, avait été consacrée au monde divin, la France vit s'épanouir une magnifique école de portraits. La plupart de ceux qui sont conservés au Louvre proviennent de l'ensemble de 1 096 portraits réunis par Roger de Gaignières (1642-1715). ***Jean Clouet*** (1485/1490-1541) : *Portrait de François Ier*★. ***François Clouet*** (vers 1505-1572), fils du précédent, dont il hérita la charge de peintre du roi, mais cependant plus connu pour ses admirables portraits dessinés : *Pierre Outhe*★★. Un double portrait attribué à ***Daniel Dumonstier. François Quesnel*** : *Portrait de Henri III*★★. Œuvres de l'école française : *Portrait d'un flûtiste borgne*★.

Salle 4 : cabinet de portraits

De véritables galeries de portraits virent le jour au XVIe s. Catherine de Médicis, par exemple,

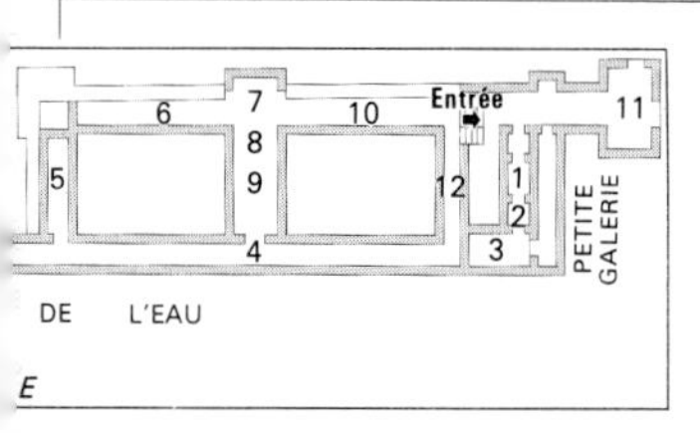

premier étage.

13 *Grande Galerie, deuxième partie : école italienne, XIVe et XVe s.*
14 *Salle Van-Dyck : école flamande, XVIIe s.*
15 *Galerie Médicis*
16 *Petits Cabinets, côté Seine : écoles du Nord, XVe et XVIe s.*
17 *Petits Cabinets, côté jardin des Tuileries : écoles flamande et hollandaise, XVIIe s.*
18 *Aile de Flore : école italienne, XVIIe et XVIIIe s.*
Collection Beistegui.
19 *Pavillon de Flore, premier étage : école espagnole, écoles de Valence, de Catalogne et de Castille, XVe s. ; écoles de Tolède et de Madrid, XVIe et XVIIe s. ; les grandes œuvres religieuses du Siècle d'Or, XVIIIe s.*

en avait réuni plusieurs centaines dans son hôtel parisien. Roger de Gaignières en avait collectionné 1096, qu'il légua à Louis XIV. Tous ces portraits sont généralement en buste, de face ou de trois quarts, sur fond neutre. On remarquera le portrait d'*Élisabeth d'Autriche* par **François Clouet** (actif vers 1536-1572), *Jean de Bourbon-Vendôme, Charles de La Rochefoucauld* et *Jacques Bertaut* par **Corneille de Lyon** (vers 1505-vers 1574), les portraits anonymes de *Michel de l'Hospital* et de *Jean Baboues de la Bourdaisière,* ainsi que le portrait présumé de *Clément Marot.*

Salle 5 : la deuxième école de Fontainebleau

Elle recouvre la fin du XVIe s. *Gabrielle d'Estrées et sa sœur la duchesse de Villars****, célèbre peinture, diversement interprétée : on y voit souvent une allusion à la naissance de César, duc de Vendôme, fils du roi Henri IV et de sa maîtresse Gabrielle d'Estrées ; elle pourrait également être une allusion satirique à la légèreté des mœurs de la cour. ***Antoine Caron*** (1521-1599) : le Massacre du Triumvirat, en 1566, pendant les guerres de Religion, la Sibylle de Tibur. ***Toussaint Dubreuil*** (1561-1602) : la Toilette et le Lever d'une Dame, Sacrifice antique, qui proviennent du décor du château de Saint-Germain-en-Laye.

Salles 6 à 12 (aile nord) : Le XVIIe siècle

Les aspects de la peinture du XVIIe siècle sont multiples, surtout avant l'avènement de Louis XIV (1661). À partir de la monarchie absolue, l'influence royale se fit sentir dans tous les domaines. *Charles Le Brun* a exercé une véritable surintendance des Beaux-Arts et son rôle fut considérable, aussi bien en peinture que dans les arts décoratifs. Il n'en reste pas moins que la peinture de ce siècle a vu s'épanouir le génie de Poussin, Le Nain, La Tour, Champaigne, Claude Gellée entre autres...

Salle 6 : la peinture sous Louis XIII, les caravagesques

Ils sont ainsi nommés parce que Simon Vouet et son école d'artistes français furent influencés par le Caravage et l'Italie en général. *Valentin de Boulogne* (1591-1634) : le Jugement de Salomon, l'Innocence de Suzanne reconnue, *Scène de Cabaret**, *la Diseuse de bonne aventure,* le Concert au bas-relief... *Claude Vignon* (1593-1670) : *le Jeune Chanteur**. *Nicolas Régnier* (1590-1667) : *la Diseuse de bonne aventure*. *Nicolas Tournier* (1590-1639) : Crucifixion.

Simon Vouet (1590-1649) : *la Présentation au Temple,* offerte par le cardinal de Richelieu en 1641 à l'église des Jésuites de la rue Saint-Antoine, à Paris, aujourd'hui église Saint-Paul-Saint-Louis; portrait de Marcantonio Doria, peint en Italie avant son retour en France en 1627; Allégorie de la Richesse; portrait de Gaucher de Châtillon, qui proviendrait peut-être, avec le Louis XIII de Philippe de Champaigne, de la Galerie des Hommes Illustres que Richelieu fit aménager au Palais-Cardinal (actuel Palais-Royal) entre 1630 et 1637. La peinture de Vouet, lyrique, claire de couleur et large de facture, fut largement diffusée par la gravure et par les nombreux élèves qui passèrent dans son atelier.

Eustache Le Sueur (1616-1655) : Réunion d'amis; *Jacques Blanchard* (1600-1638), rival de Vouet : Vénus et les Grâces surprises par un mortel; la Charité.

Laurent de La Hyre (1606-1656), qui n'alla pas en Italie et ne passa pas dans l'atelier de Vouet, mais développa une peinture d'un genre analogue dans des formules plus calmes : le Pape Nicolas V, en 1149, se fait ouvrir le tombeau de saint François d'Assise, l'Assomption de la Vierge.

Salle 7 : Nicolas Poussin

Nicolas Poussin (1594-1675) est généralement considéré comme le plus grand peintre français du XVIIe s. Bien qu'ayant passé la plus grande partie de sa vie à Rome, il ne fut pas pour autant un peintre italianisant, mais le peintre de la campagne romaine et de l'Antiquité, qu'il a interprétées avec rigueur et poésie. Le Louvre possède de Poussin un important ensemble d'œuvres qui montre sa diversité. Travaillant pour des amateurs cultivés, italiens et français, il a peint des sujets tirés de l'Antiquité : *l'Enlèvement des Sabines**, l'Inspiration du Poète, *Écho et Narcisse**, le Triomphe de Flore, *les Bergers d'Arcadie****; de la Bible : la Peste d'Asdod, la Manne ; ou religieux : Apparition de la Vierge à saint Jacques le Majeur, Saint Jean Baptiste baptisant le peuple, ainsi que de nombreuses versions de la Sainte Famille. Ses paysages sont présentés salle 9.

Salle 8 : les peintres de la Réalité

Ces peintres ont été réhabilités avec la peinture réaliste du XIXe s. *Georges de La Tour* (1593-1652) : *Saint Joseph Charpentier***, *l'Adoration des Bergers***, la *Madeleine à la veilleuse****, caractéristiques de sa manière très personnelle de traiter les éclairages et les ombres. *Le Tricheur à l'as de carreau** fait au contraire partie des toiles dites diurnes, ainsi que le *Saint Thomas**, qui a été acquis en 1988 par souscription nationale. *Louis Le Nain* (1593-1648) : *la Charrette****, dont l'harmonie de jaune et de gris est unique dans la production de cette époque ; *Repas de paysans*** ; Famille de paysans ; la Forge (il en existe une variante très semblable à Reims) ; Retour du baptême ; Réunion de musiciens ; la Victoire, un des rares nus dans la production du peintre. *Mathieu Le Nain* (1607-1677) : le Corps de garde. *Lubin Baugin* (1612-1663) : deux *Natures mortes**, aux Gaufrettes et à l'Échiquier, cette dernière étant une illustration des cinq sens ; les natures mortes symboliques ont eu une très grande vogue à l'époque. Natures mortes de *Pierre Dupuis* et de *Jacques Linard.*

Salle 9 : le paysage (Le Lorrain) et la peinture de décor

Alors que Claude Gellée et Nicolas Poussin inauguraient en Italie la tradition du paysage classique, les peintres parisiens développaient une formule originale, qui put s'épanouir dans les nombreux décors des hôtels que se firent construire les riches Parisiens.

Claude Gellée, dit *Le Lorrain* (v. 1602-1682), travailla à Rome pour les dignitaires romains, mais aussi pour les ambassadeurs et les nobles français et étrangers. Il se fit une spécialité des vues de ports imaginaires en utilisant des éléments architecturaux réels ou en recréant des édifices antiques avec des effets lumineux et atmosphériques : la Fête villageoise, Vue du Campo Vaccino à Rome, *Port de mer au soleil couchant***, Ulysse remet Chryséis à son père, Débarquement de Cléopâtre.

Nicolas Poussin (1594-1665) peignit dans les dernières années de sa vie des paysages où domine le sentiment de la grandeur et des forces mystérieuses de la nature. *Les Quatre Saisons** furent peintes pour Richelieu entre 1610 et 1664 ; elles prennent leurs sujets dans des épisodes de la Bible et sont une méditation sur les différents âges de la vie. On peut également voir de *Sébastien Bourdon* (1616-1671) : Auguste devant le tombeau d'Alexandre, la Rencontre d'Antoine et Cléopâtre ; *Laurent de La Hyre* (1606-1656) : Laban cherchant ses idoles dans les bagages de Jacob ; *Eustache Le Sueur* (1617-1655) : Melpomène, Érato et Polymnie, peint pour le Cabinet des Muses de l'Hôtel Lambert, de même que Énée combattant les Harpies de *François Perrier* (v. 1590-1650). *Jacques Stella* (1596-1657) : Minerve chez les Muses, Clélie passant le Tibre.

Salle 10 : la peinture religieuse

Dans cette salle ont été réunis les grands tableaux religieux commandés par les églises et les ordres religieux, dont ceux peints pour Port-Royal.

Sébastien Bourdon (1616-1671) : la Descente de Croix ; *Laurent de La Hyre* (1606-1656) : Apparition de Jésus aux trois Marie. *Eustache Le Sueur* (1617-1655) : la Salutation angélique, la Descente de Croix, *la Prédication de Saint Paul à Éphèse**, tableau offert par la corporation des orfèvres de Paris à la cathédrale Notre-Dame de Paris en 1649. Chaque année, de 1630 à 1707, cette corporation offrit à la cathédrale, en mai, d'où le nom de May donné à la série de ces œuvres, un grand tableau tirant son sujet des Actes des Apôtres.

Des grands cartons de tapisserie commandés en 1654 par les marguilliers de l'église Saint-Gervais à Paris et racontant l'*histoire de saint Gervais et saint Protais**, le Louvre conserve de *Le Sueur* Saint Gervais et saint Protais amenés devant Astasius refusent de sacrifier à Jupiter, et l'Apparition de saint Gervais et saint Protais à saint Ambroise, ainsi que la Translation des corps de saint Gervais et saint Protais par *Philippe de Champaigne*. Cet ensemble nous permet d'imaginer ce que pouvait être la richesse du décor des églises parisiennes.

Originaire de Bruxelles, *Philippe de Champaigne* (1602-1674) s'installa en 1621 à Paris, où il travailla jusqu'à la fin de sa vie. On verra de lui : *Portrait d'homme***, dit autrefois Robert

Arnauld d'Andilly, le Prévôt des marchands et les Échevins de la Ville de Paris, le Christ en croix. Il fut aussi le peintre de l'abbaye de Port-Royal : le Christ mort couché sur son linceul; Portrait de Robert Arnauld d'Andilly; *Ex-Voto****, un des chefs-d'œuvre du Louvre, exécuté à l'occasion de la guérison miraculeuse de sa fille qui était abbesse de Port-Royal, tableau qui ne montre pas le moment de la guérison, mais celui où la mère Angélique reçoit la prémonition de la guérison. Il est chargé de l'émotion contenue, de l'austérité et de la spiritualité qui caractérisent l'œuvre de ce grand peintre. De lui sont également exposés dans cette salle deux des quatre paysages peints pour Anne d'Autriche au Val-de-Grâce, les Miracles de sainte Marie Pénitente et Paphnuce libérant Thaïs.

Salle 11 : les Batailles de Le Brun

Charles Le Brun (1619-1690) fut le maître d'œuvre de Versailles et le peintre officiel de Louis XIV. Son portrait par son élève Nicolas Largillière le montre dans son atelier, entouré des attributs de sa fonction et devant une réduction d'un des compartiments de la Galerie des Glaces de Versailles.

Il a peint un somptueux *Portrait du chancelier Séguier**, où il présente son protecteur dans tout le luxe de sa fonction. Il reçut des commandes de cartons de tapisserie pour illustrer l'Histoire de Méléagre (la Chasse de Méléagre et d'Atalante et la Mort de Méléagre) et *l'Histoire d'Alexandre,* dont quatre seulement furent exécutés : le Passage du Granique, la Bataille d'Arbèles, Alexandre et Porus, Entrée d'Alexandre dans Babylone. Ces quatre immenses toiles s'inspirent des fresques de Raphaël au Vatican. Leur sujet permet de flatter le jeune roi Louis XIV, qui se trouve comparé à l'empereur Alexandre. Exposées dans le cabinet du roi, qui servait aux réunions de l'Académie, elles jouèrent un rôle considérable dans la formation de la doctrine académique.

Salle 12 : Jouvenet et la peinture religieuse à la fin du XVIIe siècle

Jean Jouvenet (1644-1717) se consacra surtout à la peinture religieuse : Descente de Croix, peinte en 1697 pour l'église des Capucins de Paris. La Pêche miraculeuse et la Résurrection de Lazare, exécutées entre 1700 et 1706, font partie de la série des quatre immenses toiles peintes pour la nef de Saint-Martin-des-Champs.

Le circuit de la peinture française du XVIIe s. se termine par le célèbre *Portrait de Louis XIV* de ***Hyacinthe Rigaud,*** où il est représenté avec les attributs du sacre exposés dans la Galerie d'Apollon.

Watteau : l'île de Cythère. « Ils ne regardent et ne voient qu'eux-mêmes ».

GRANDE GALERIE, PEINTURE FRANÇAISE DU XVIIIe ET DU XIXe SIÈCLES

Dans la partie est de la Grande Galerie, un choix de peinture française du XVIIIe et du XIXe siècles est présenté provisoirement, en attendant la fin des travaux d'aménagement des salles du 2e étage de la Cour Carrée.

La peinture française de cette époque comprend de nombreux portraits et des scènes de genre ou mythologiques. Une nouvelle classe sociale, celle de la bourgeoisie, a pris une place considérable du fait de sa puissance financière ; l'art éloigné de la cour ne va plus être d'apparat. Prenant ses distances vis-à-vis de la monarchie, le peintre va cesser de voir grand et solennel, pour voir agréable, confortable, séduisant, et surtout l'œuvre sera plus individualisée. On sent maintenant beaucoup moins la pompe louis-quatorzienne et les portraits sont beaucoup plus intimistes et familiers.

Watteau (1684-1721), le peintre des scènes galantes, chercha à fondre ses personnages dans les paysages en faisant jouer des effets de lumière diffuse. Son œuvre gravé dans

le Recueil Julienne fut diffusé dans l'Europe entière et concourut à infléchir la peinture vers l'intimisme et la grâce. Du *Pèlerinage à l'île de Cythère**** (connu tout au long du XIXe s. sous le nom d'Embarquement pour Cythère, il a repris avec son vrai titre toute sa signification), cette œuvre admirable, il existe une autre variante à Berlin, mais celle du Louvre, avec ses seize personnages qui ne regardent et ne voient qu'eux-mêmes, est certainement la plus belle. Elle fut restaurée pour la grande rétrospective Watteau en 1984. *Gilles****, personnage mystérieux et ambigu, est une des figures les plus étranges de la peinture française et diffère sans doute des autres Watteau (au point qu'on a parfois mis en doute la paternité du peintre), mais elle est bien, par son étrangeté même, représentative de celui qui compte au nombre des plus grands artistes français. Il eut le génie de la composition mouvante, en même temps qu'il avait, plus qu'aucun autre, le sens de la fragilité et de la brièveté du temps. Le *Portrait de gentilhomme*** n'est pas Jean de Jullienne, car

Watteau n'a jamais accepté de faire un portrait sur commande ni d'apparat et il ne peut s'agir que d'un familier (acquis en 1973). *Diane au bain*** est une des dernières acquisitions. Le Louvre possède encore huit œuvres indiscutables de Watteau, dont certaines, de petit format, sont exposées dans l'aile Mollien.

Boucher (1703-1770), peintre de scènes mythologiques et galantes et de paysages très représentatifs du style Louis XV : *le Repos de Diane**** (1742); Enlèvement d'Europe (1747); Céphale et Aurore, Vertumne et Pomone (1763), deux modèles de tapisserie exécutés aux Gobelins; Renaud et Armide (1763), morceau de réception à l'Académie; le Moulin, le Pont, qui proviennent du décor de la chambre du cardinal de Soubise à l'hôtel de Rohan (maintenant Archives Nationales); *Vulcain présentant à Vénus des armes pour Énée***; et une petite scène de genre qui donne une idée d'un intérieur bourgeois de la première moitié du XVIIIe s., *le Déjeuner**.

Scènes de genre et allégories mythologiques de *Noël Hallé* (1711-1781) : Dispute de Minerve et Neptune pour donner un nom à Athènes; de *Nicolas Lancret* (1690-1743) : la Leçon de musique, l'Innocence.

Portraits de *Madame de Sorquainville** et du peintre Oudry par *Jean-Baptiste Perronneau* (1715-1783).

Différents aspects de l'œuvre de *Jean-Baptiste Siméon Chardin* (1699-1779) sont présentés : le peintre des natures mortes avec *la Raie**, *le Buffet**, morceaux de réception à l'Académie (1728), les Attributs des Arts, les Attributs de la Musique, dessus-de-portes d'un salon du château de Choisy, Menu de gras, Menu de maigre, le Bocal d'olives, Lièvre mort avec gibecière et poire à poudre, acquis par dation en paiement des droits de succession (1979), une des dernières natures mortes de l'artiste avant qu'il ne s'adonne à la scène de genre et à la représentation humaine; le peintre des enfants avec le Jeune Homme au violon, *l'Enfant au toton****, deux portraits des fils du joaillier Godefroy; le peintre des scènes de genre avec la Mère laborieuse, la Pourvoyeuse, *le Bénédicité**** et *la Serinette*** acquis en 1985.

Pierre Subleyras (1699-1749) : *l'Abbé César Benvenuti** et Giuseppe Baretti (don de la fondation Bella et André Meyer, 1981), deux portraits intenses, de composition très sobre, traités dans une gamme extraordinaire de couleurs, noirs sourds, gris poudreux, roses tendres, très caractéristiques de l'art de Subleyras; *le Repas chez Simon**, grande toile en longueur commandée par les chanoines de Latran pour le réfectoire du couvent d'Asti, près de Turin. Subleyras travailla essentiellement à Rome, où il fut directeur de l'Académie de France.

Jean-Honoré Fragonard (1732-1806), artiste très représentatif de la seconde moitié du XVIIIe s., a traité des scènes frivoles et libertines qui l'ont rendu célèbre, mais également de superbes paysages. L'importance qu'il accorde à la touche, son pinceau nerveux et rapide qui va à l'essentiel, le conduisent parfois à des tentatives hardies et très modernes comme dans les *Figures de fantaisie***, dont le Louvre conserve huit exemples; l'une de ces figures, la Musique, fut peinte, dit-on, en moins d'une heure. On verra aussi le Grand-Prêtre Corésus se sacrifie pour sauver Callirhoé, grand tableau destiné à être exécuté en tapisserie; les Baigneuses; Portrait de Diderot; la Guimard; *le Verrou*, acquis en 1984; Mercure et Argus ou *le Berger endormi**, acquis en 1981 comme étant de l'école française du XVIIIe s. et qui vient d'être rendu à Fragonard; le Songe du mendiant, tout récemment acquis (1987).

Jean Barbault (1718-1766) : la Sultane, le Prêtre de la Loi, représentant deux pensionnaires de l'Académie de France à Rome déguisés pour le carnaval de 1748 (donnés au Louvre en 1971).

Joseph Vernet (1714-1789) : *la Nuit** (1765), une des peintures représentant les différents moments de la journée (série commandée par Louis XV pour sa bibliothèque du château de Choisy); le Ponte Rotto; le Château Saint-Ange; *le Port de Toulon** (1757), une des quinze vues de ports français commandées par Louis XV.

Hubert Robert (1733-1808), le peintre des ruines : le Pont du Gard, Intérieur du Temple de Diane à Nîmes, la Maison Carrée, l'Arc de Triomphe et l'Amphithéâtre d'Orange, quatre tableaux commandés en 1786 pour un salon du château de Fontainebleau; Vue imaginaire de la Grande Galerie en ruine; Projet d'aménagement de la Grande Galerie.

Jean-Baptiste Greuze (1725-1805), peintre de la morale et du sentiment, dont Diderot appréciait tant la peinture édifiante : *la Malédiction paternelle** et son pendant le Fils prodigue; *l'Accordée du village**; la Laitière et *la Cruche cassée***, deux compositions ovales très appréciées en leur temps; portrait de Watelet (acquis par dation en paiement des droits de succession).

Élisabeth Vigée-Lebrun (1755-1842), épouse du marchand de tableaux Lebrun, peintre de la reine Marie-Antoinette, dont elle a fait de nombreux portraits : la Paix ramenant l'Abondance, morceau de réception à l'Académie (1783); portraits de Hubert Robert, de madame Molé Raymond; *Madame Vigée-Lebrun et sa fille*★.

Scènes de genre de *Louis Boilly* (1761-1845) : l'Arrivée d'une diligence, Réunion d'artistes dans l'atelier d'Isabey, l'Entrée du théâtre de l'Ambigu-Comique à une représentation gratis.

École néo-classique

Jacques Louis David (1748-1825) : Monsieur et Madame Monguez; *Madame Trudaine*★, portrait inachevé, sans doute volontairement, que l'on prenait auparavant pour celui de Madame Chalgrin, l'épouse de l'architecte; *Louis-Eugène Larivière* (1801-1823) : Portrait d'Eugénie-Paméla Larivière, fille de l'artiste. *Antoine Berjon* (1754-1843) : Vase de fleurs. *Antoine, baron Gros* (1771-1835) : Portrait de Madeleine Pasteur. *Martin Drolling* (1752-1817) : Intérieur de cuisine. *Léon Gauffier* (1762-1801) : Jacob et les Filles de Laban. *François Gérard* (1770-1837) : portraits de Madame Barbier Walbonne, de la Comtesse Regnault de Saint-Jean-d'Angély. *Jean-Baptiste Regnault* (1754-1829) : le Déluge. *Pierre-Paul Prud'hon* (1758-1823) : *Jeune Zéphir se balançant au-dessus de l'Eau*★; le Bain de Vénus; Diane implorant Jupiter de ne pas l'assujettir à l'Hymen, esquisse pour un plafond des salles des Antiquités grecques; le Mariage d'Hébé et d'Hercule, esquisse pour un plafond de l'Hôtel de Ville de Paris (1810) faisant allusion au mariage de Napoléon Ier et de Marie-Louise; le Roi de Rome, héritier du trône impérial, né le 20 mars 1811 (acquis en 1982). *Léon-Mathieu Cochereau* (1793-1817) : l'Atelier de David, peint par un de ses élèves en 1814. *Madame Benoît* (1768-1826) : *Portrait d'une Négresse*★. *Girodet-Trioson* (1767-1824) : les Ombres des héros français reçus par Ossian dans le jardin d'Odin, copie de la composition peinte en 1801 pour le grand salon de Malmaison. *Guérin :* Énée et Didon; Phèdre et Hippolyte (acquis en 1982). *David :* le Serment des Horaces, trois esquisses pour les grandes compositions exposées salle Mollien, au premier étage.

Jean Auguste Dominique Ingres (1780-1867), peintre éminemment classique et merveilleux dessinateur : Portraits de M. Boschet, M. Cordier, M. Cortot (dépôt du musée des Beaux-Arts d'Alger), *Mme Marcotte de Sainte-Marie*★; le Pape Pie VII dans la chapelle Sixtine (1820), sujet souvent traité par Ingres, qui avait été très impressionné par les cérémonies de la semaine sainte au Vatican; Angélique, étude pour le tableau exposé salle

Denon; *le Bain Turc****. *Théodore Chassériau* (1819-1856) : *Toilette d'Esther** (1846), Apollon et Daphné (1846), Vénus (1836), qui doivent beaucoup à son maître Ingres; portrait d'Adèle Chassériau. *Constance Mayer-Lamartinière* (1778-1821) : le Rêve de bonheur. *Pierre Narcisse Guérin* (1774-1833) : les Bergers au tombeau d'Aminthas. *Léon Bénouville* (1821-1859) : la Communion mystique de sainte Catherine. *Hippolyte Flandrin* (1809-1864) : Jeune Homme nu au bord de la mer.

Géricault et Delacroix

Théodore Géricault (1791-1824) : le Derby d'Epsom; *le Vendéen**; les esquisses pour le Cuirassier blessé, l'Officier de chasseur à cheval, le Radeau de la Méduse; *la Folle****, qui

---

À ne pas manquer

Les numéros entre parenthèses renvoient aux salles indiquées sur le plan.

Premier étage

Salon Carré (3) : Pietà d'Avignon, Enguerrand Quarton (XVe s.). Portrait de Gabrielle d'Estrées et de sa sœur (XVIe s.).
Grande Galerie (4) : Les Bergers d'Arcadie et l'Autoportrait de Poussin (XVIIe s.). Madeleine à la veilleuse, de G. de La Tour (XVIIe s.). La Charrette et la Famille de paysans des Le Nain (XVIIe s.). L'Ex-voto de Philippe de Champaigne (XVIIe s.). Pèlerinage à l'île de Cythère et Gilles de Watteau (XVIIIe s.). Portraits de Diderot et de la Guimard par Fragonard (XVIIIe s.).
Aile Mollien (5) : Le Buffet, le Bénédicité et l'Enfant au toton de Chardin (XVIIIe s.). Le Repos de Diane sortant du bain par Boucher (XVIIIe s).
Salle Mollien (6) : Le Serment des Horaces et portrait de Mme Récamier par David (début XIXe s.).
Salle Denon (7) : La grande Odalisque, la Baigneuse de Valpinçon, Portraits de M. Bertin, de M. et Mme Rivière et de leur fille par Ingres (XIXe s.).
Salle Daru (10) : Le Radeau de la Méduse de Géricault (XIXe s.). La Liberté guidant le peuple et la Mort de Sardanapale par Delacroix (XIXe s.).

Deuxième étage

Salle 2 : Le Bain turc par Ingres (XIXe s.).
Salle 3 : La Vue de Tivoli et la Femme à la perle de Corot (XIXe s.).
Salle 4 : La Folle de Géricault (XIXe s.). L'Autoportrait de Delacroix (XIXe s.).

---

fait partie de la douzaine d'œuvres exécutées pour un ami de l'artiste, le Dr Georget, qui jeta les premières bases de l'étude scientifique de la psychiatrie; un certain nombre de tableaux représentant des chevaux et qui révèlent la passion que Géricault avait pour cet animal.

Eugène Delacroix (1798-1863) : l'Assassinat de l'évêque de Liège; Hamlet et Horatio; Noce juive au Maroc; les Tigres; Mlle Rose; Nu; *Autoportrait***; *Portrait de Chopin***, dont le pendant, George Sand, est à Ordrupgard (Danemark). Œuvres de *Ary Scheffer* (1795-1858) et de *Chassériau* .

AILE MOLLIEN

Salle 1

Dans cette salle sont présentés les tout petits formats de *Boucher :* le Peintre dans son atelier; *Watteau :* *l'Indifférent**** et *la Finette****, le Faux pas, le Jugement de Pâris; *Chardin :* la Fontaine de cuivre; *Hubert Robert :* Fontaine sous un portique, Escalier tournant du palais Farnèse à Caprarola; *Boilly : Scène de cabaret**, l'Averse; *Ingres : Don Pedro de Tolède**.

Salle 2 : donation Moreau-Nélaton

Elle est constituée par des œuvres de l'école romantique et par les nombreux paysages de *Corot,* ainsi que de l'*école de Barbizon,* qui a marqué le début d'une nouvelle façon de voir. *Prud'hon :* le Génie de la Paix. *Delacroix :* le Prisonnier de Chillon (il s'agit de Byron), Combat de cavaliers dans la campagne, Jeune orpheline au cimetière, Turc fumant sur un divan, Prise de Constantinople par les Croisés (autre version de la grande toile du premier étage), Nature morte au homard. Œuvres de *Nino Diaz de la Peña,* de *Thomas Couture* et de *Daubigny.*

Salle 3 : donation Thomy-Thierry

Elle comprend une large sélection d'œuvres françaises du XIXe s. *Delacroix : Rébecca*** (1858); Médée (1862), seconde version d'une œuvre peinte en 1838 et maintenant au musée de Lille; Lion dévorant un lapin; Lion et alligator; Saint Georges et le dragon; la Fiancée d'Abydos; Hamlet et Horatio au cimetière. *Corot :* le Vallon; *la Route de Sin-le-Noble**. *Barye :* Lions près de leur tannière. *Alexandre Decamps* (1803-1860) : le Rémouleur et les Sonneurs de cloche, deux des nombreuses scènes que l'artiste peignit lors de son séjour en Turquie. *Eugène Fromentin : la Chasse au faucon en Algérie**. *Théodore Rousseau* (1812-1867), le maître de l'école de Barbizon : Groupes de chênes, Apremont, la Plaine en avant des Pyrénées, le Printemps. *Jules Dupré* (1811-1878) : le Grand Chêne, l'Abreuvoir. *Charles Daubigny* (1817-1878) : la Vanne d'Optevoz.

Salle 4 : Corot

Dans cette salle sont regroupés paysages et portraits de *Jean-Baptiste Camille Corot* (1796-1875) : la Campagne de Naples, Vue de Tivoli, Moulins à Étretat, Intérieur de la cathédrale de Sens, la Route de Sin-le-Noble, *la Femme à la perle***, Jeune Fille à sa toilette, *la Dame en bleu***; ainsi que des œuvres de Delacroix, Géricault...

Salle Mollien (6) : XIXe siècle

David : portraits de *M. et Mme Sériziat*** et de leur fils. ***Gérard*** : Amour et Psyché, le Peintre Isabey et sa fille. ***Girodet-Trioson*** : le Sommeil d'Endymion, le Déluge, Atala portée au tombeau. ***Guérin :*** Hippolyte accusé par Phèdre, le Retour de Marcus Sextus. ***David :*** *les Sabines arrêtant le combat***, *Léonidas aux Thermopyles**, la Douleur d'Andromaque, *le Serment des Horaces**** (→ *encadré*), Pâris et Hélène, *les Licteurs rapportent à Brutus le corps de son fils**. Il s'agit là de grandes compositions inspirées de l'Antiquité, qui reste une source inépuisable, et, pour l'artiste, seule l'épopée napoléonienne peut susciter les mêmes sentiments, tel *le Sacre de Napoléon à Notre-Dame*** (exécuté de 1804 à 1807); cette toile très officielle et imposante est un véritable document historique. Les portraits de *Mme Récamier****, de Mme d'Orvillers et du pape *Pie VII**, ainsi que l'Autoportrait, révèlent davantage la sensibilité de David et son attention à la psychologie de ses modèles. ***Prud'hon :*** portrait de *Joséphine à la Malmaison**; la Justice et la Vengeance poursuivant le Crime, Enlèvement de Psyché, ces deux dernières œuvres révélant une influence romantique. ***Baron Gros :*** portrait de Christine Boyer, première femme de Lucien Bonaparte. ***Ingres,*** dont on a dit qu'il était le chef de l'école classique française et dont on voit ici des œuvres caractéristiques : la *Grande Odalisque****, qui montre la pureté du dessin; les *portraits de M. et Mme Rivière et de leur fille****; Homère déifié et Œdipe et le Sphinx, qui témoignent de son talent à exprimer la vérité du modèle et de son culte pour l'Antiquité.

Salle Denon (7) : XIXe siècle

Ingres : *la Baigneuse de Valpinçon****, *Roger délivrant Angélique***, *Jeanne d'Arc au couronnement de Charles VII***, portraits de *Cherubini** et de *Monsieur Bertin****. ***Théodore***

Aligny (1798-1871) : Prométhée. *Achille Michallon* (1796-1822) : la Mort de Roland. *Marc Gleyre* (1806-1874) : les Illusions perdues. *Louis-Léopold Robert* (1794-1835), peintre suisse élève de David qui travailla en Italie après 1818 : le Retour de pèlerinage de la Madone d'Arc (1827), l'Arrivée des moissonneurs dans les marais Pontins (vers 1830). *Paul Delaroche* (1797-1856) : la Jeune Martyre. *Auguste Hesse* (1795-1869) : la Mort de Titien à Venise (don de la Société des Amis du Louvre, 1985). *Prud'hon :* le Christ en croix, peint pour la cathédrale de Metz.

Salle Daru (10) : XIXe siècle

Dans cette salle ont été réunies des œuvres colorées et visionnaires, qui puisent principalement leur thème dans la légende, l'Orient et l'allégorie, ou des tableaux illustrant des événements contemporains traités avec un sentiment pathétique et réaliste.

Baron Gros : portrait du lieutenant général comte Fournier-Sarlovèze★ refusant de se rendre à Vigo (Espagne), peint en 1813; portrait équestre de Joachim Murat, roi de Naples (1812), acquis par dation en paiement des droits de succession (1913); *Bonaparte visitant les pestiférés de Jaffa*★★ (1804); *Napoléon sur le champ de bataille d'Eylau*★★. *Géricault :* Cuirassier blessé, Officier de chasseur de la Garde impériale chargeant, *le Radeau de la Méduse*★★★. Delacroix : *la Barque de Dante*★ (1821), *Scènes de massacre de Scio*★★ (1824), *la Liberté guidant le peuple*★★★, le 28 juillet 1830 (1831), *la Mort de Sardanapale*★★★ (1827), le Naufrage de Dom Juan, *Femmes d'Alger dans leur appartement*★★ (1834), *Prise de Constantinople par les Croisés*★★ (1840), Jeune Tigre et sa mère. *Chassériau : Suzanne au bain*★; *les Deux Sœurs*★; portrait de *Lacordaire*★; le Commerce et la Paix, deux grandes compositions à fresque provenant de la cour des Comptes de Paris. *Paul Delaroche :* les Enfants d'Édouard (1830), Bonaparte franchissant les Alpes (don de M. et Mme R. Birkhauser, par l'intermédiaire de la Lutèce Foundation, 1982). *Alexandre Decamps :* la Bataille des Cimbres. *Ary Scheffer :* Paolo et Francesca, les Femmes souliotes. *Victor Schnetz* (1787-1870) : le Vœu à la Madone (1831).

LA PEINTURE ITALIENNE

Dans la perspective de la réorganisation générale, cette section occupera la salle Duchâtel, le Salon Carré (XIIIe s., XIVe s., XVe s.), la première partie de la Grande Galerie et la salle des États (XVIe-XVIIe s.), la salle des Sept-Cheminées (XVIIe s.).

Eugène Delacroix : Rebecca enlevée par le Templier.

De toutes les écoles étrangères, c'est l'école italienne qui est la mieux représentée au Louvre, les rois de France, depuis Louis XII, ayant toujours montré une prédilection pour l'art transalpin ; on pourrait même dire que l'Italie les a fascinés. François Ier, qui fut une des grandes figures de la Renaissance française, avait rapporté plusieurs chefs-d'œuvre et, après lui, Richelieu, dans son Palais-Cardinal (le futur Palais-Royal), commença une très importante collection en montrant un goût certain pour les artistes qui avaient précédé les maîtres de la Renaissance ; c'est grâce à lui que les toiles du Pérugin ou de Mantegna, par exemple, font partie des trésors du Louvre. Par Charles Ier d'Angleterre, le financier Jabach et Mazarin, les trésors du duc de Mantoue sont aussi entrés au Louvre (→ histoire des collections). Les saisies des armées révolutionnaires, puis napoléoniennes, les acquisitions, dont celle de la collection Campana, au cours des XIXe et XXe s., sont venues compléter cet ensemble magnifique.

Grande Galerie (13) :
peinture italienne des XIIIe, XIVe et XVe siècles

De *Cimabue* (*Cenno di Pepi*, dit ; mentionné vers 1240/1250 jusqu'à 1302), on verra *la Vierge aux anges****; si les attitudes demeurent hiératiques, si les plis parallèles des robes et les rehauts d'or montrent toujours l'influence orientale, l'abandon des cernes qui délimitent la forme, les volumes rendus par le modelé montrent qu'il y a quelque chose de nouveau dans l'art. *Giotto* (Colle di Vespignano, vers 1266-Florence, 1337) est présent avec *Saint François recevant les stigmates**** (premières années du XIVe s.) ; les formules byzantines, le fond or – pas tout à fait disparu cependant – laissent une place plus grande à l'expression picturale de la créature humaine. Grand Christ, d'après Giotto.

C'est avec ces deux peintres que la peinture italienne va prendre son essor et, sans en faire une loi absolue, on peut dire que pendant tout le XIVe s. elle sera partagée entre les Siennois et les Florentins, ces derniers se dégageant plus rapidement que les premiers de l'influence byzantine. L'école vénitienne fera parler d'elle plus tardivement ; elle restera, par sa situation, tournée vers l'Orient beaucoup plus longtemps que les autres.

Le Crucifix du *Maître de San Francesco* (actif en Hongrie dans la seconde moitié du XIIIe s.) est un exemple des crucifix peints, nombreux en Ombrie, dont la production commence au début du XIIIe s. ; une restauration récente a révélé les coloris lumineux, rouges, bleus lavande et lilas (acquis en 1984). *Lippo Memmi,* beau-frère de Simone Martini, connu à Sienne entre 1317 et 1347 : Saint Pierre, volet d'un triptyque dont le centre serait une Madone à l'Enfant conservée au musée de Berlin. *Maître de San Pietro d'Ovile* (Sienne, XIVe s.) : Calvaire. Anonyme florentin (XIVe s.) : le Calvaire. *Giovanni da Milano,* peintre florentin connu de 1346 à 1369 : Saint François d'Assise. *Bernardo Daddi* (Florence, vers 1290-après 1353), disciple direct de Giotto : Annonciation. *Bartolo di Maestro Fredi,* école siennoise (né vers 1353-mort vers 1410) : Présentation au temple. *Lorenzo Monaco,* dit aussi Lorenzo di Giovanni (1370-après 1422/1424) ; originaire de Sienne, il a beaucoup travaillé à Florence et son œuvre de miniaturiste est très importante : Vierge assise et l'Enfant Jésus, Crucifixion, Scènes de la vie de saint Jean Baptiste et de saint Jacques le Majeur. Anonyme bolonais : Triptyque de la Crucifixion. *Barnaba da Modena,* connu à Gênes entre 1361 et 1383 : Vierge et Enfant, acquis par le musée en 1968. *Paolo Veneziano,* connu à Venise de 1324 à 1358 : *la Vierge à l'Enfant entre quatre saints** ; il s'agit là d'un polyptyque appartenant à la collection Campana et dont les volets étaient déposés à Toulouse et à Ajaccio, œuvre reconstituée en 1956. *Lorenzo Veneziano,* mentionné à Venise entre 1356 et 1379 : Vierge sur son trône.

École de Rimini : douze scènes de la Vie de la Vierge.

Première vitrine à dr. *Simone Martini* (Sienne, 1284-Avignon, 1344), artiste de l'école de Sienne dont l'étendue des moyens et la prodigieuse faculté de renouvellement font un grand maître (et dont l'œuvre essentielle demeure la merveilleuse Annonciation, aux Offices, à Florence) : *le Portement de croix***, volet d'un polyptyque consacré à la Passion. Attribué à *Lippo Memmi :* Crucifixion (acquis en 1984). *Maître du codex de saint Georges* (école siennoise) : Madone. *Maître des Anges rebelles* (école siennoise ; vers 1440-1450) : Saint Martin en mendiant, la Chute des Anges rebelles. *Guido da Siena* (connu vers 1260-1270) ; bien qu'on ne sache pratiquement rien de cet artiste, on a retrouvé son influence dans maintes œuvres de l'école siennoise : Nativité, Présentation au temple. *Pietro da Rimini* (fin XIVᵉ s.) : Déposition de croix.

Vitrine de g. *Pisanello* (Vérone, avant 1395-mort en 1455) : *Portrait d'une princesse de la maison d'Este****, dans lequel on retrouve le style aigu de l'émailleur qu'était l'artiste ; il s'agit là de l'un des premiers portraits individuels connus en Italie. *Gentile da Fabriano*

L'âge du néo-classicisme

Vers le milieu du XVIIIᵉ s. commence une période de réaction contre le « rocaille » du style Louis XV. Les fouilles d'Herculanum et de Pompéi mettent en honneur un répertoire de motifs ornementaux. Le comte d'Angiviller, surintendant des Bâtiments du Roi, les philosophes, notamment Diderot qui commente les Salons, prônent les sujets héroïques ou moraux qui élèvent la pensée et émeuvent. Les artistes sont attirés par les théories nouvelles et l'un d'eux, David (1748-1825), allait révolutionner la peinture française et la dominer pendant plus de trente ans. Le Serment des Horaces, peint et exposé à Rome en 1784, puis au Salon à Paris en 1785, résume les aspirations de l'époque : patriotisme et force d'âme, composition héroïque et statique, exécution d'un métier admirable qui se fait oublier. David exercera une autorité incontestable, mais non une dictature ; ses émules (Peyron, Regnault, Prud'hon, Guérin) comme ses élèves (J.-G. Drouais, Girodet, Gérard, Gros, Ingres) montrent chacun un génie original, soit qu'ils restent, comme Ingres ou Guérin, attachés à la doctrine de l'école, ou que, comme Prud'hon, Girodet et surtout Gros, ils s'en détournent pour donner naissance au mouvement romantique.

(vers 1370-Rome, 1427) : *Présentation au temple*★. *Jacopo Bellini* (Venise, 1400-1471) : *Vierge et enfants adorés par Lionel d'Este*★. *Lorenzo Monaco :* Christ au Mont des Oliviers, les Saintes Femmes au tombeau.

Fra Angelico (école florentine; vers 1387-1455); ce peintre unique fut très certainement le plus grand artiste de la première moitié du Quattrocento : *Couronnement de la Vierge*★★★, grande composition pyramidale qui provient de l'église San Domenico de Fiesole; Martyres de saint Côme et de saint Damien. *Maître de l'Observance* (école siennoise; première moitié du XVe s.) : Saint Antoine; il s'agit de la partie centrale d'un polyptyque aujourd'hui dispersé. *Sano di Pietro* (Sienne, 1405/1406-1481) : Cinq épisodes de la vie de saint Jérôme.

Sassetta (école siennoise; 1400-1450) : Saint Antoine de Padoue; *Vierge et Enfant entourés d'anges*★; Saint Jean l'Évangéliste; le Bienheureux Ranieri délivre les pauvres de la prison de Florence, prédelle et panneaux faisant partie du polyptyque de l'église San Francesco à Borgo San Sepolcro. *Nerrocio di Landi* (Sienne, 1447-1500) : Vierge et Enfant entre saint Jean Baptiste et saint Antoine. Attribué à *Liberale di Verona* (1445-1525) : Enlèvement d'Europe. *Benozzo Gozzoli* (Florence, 1420-Pistoia, 1487) : *Triomphe de saint Thomas d'Aquin*★. *Fra Filippo Lippi* (Florence, 1406-1469) : *Vierge et Enfant entourés de saint Fedriano et de saint Augustin*★. *Alessio Baldovinetti* (Florence, 1425-1499) : Vierge adorant l'Enfant. *Piero Della Francesca : Portrait de Sigismond Malatesta*★★★, récemment acquis et qui apparaît comme l'un des premiers tableaux exécutés à l'huile en Italie.

Paolo Uccello : la Bataille de San Romano★★★ (1437). Cette œuvre fait partie d'une série dont les autres compositions sont conservées aux Offices et à la National Gallery. C'est une œuvre exceptionnelle quant à la hardiesse de la composition et à la conception abstraite des rapports des lignes. Uccello, peintre savant, illustre ici les préoccupations géométriques de la peinture à Florence au Quattrocento.

École de Filippo Lippi : Nativité. *Maître de la Nativité de Castello :* Vierge et Enfant entourés d'anges. *Sandro Botticelli* (Florence, 1445-1510) : cet artiste, le plus important de la deuxième moitié du Quattrocento, a un peu pâti de la gloire immense des maîtres de la Renaissance. La fermeté du dessin en même temps que l'authenticité de sa foi ont empêché que sa peinture, pleine de légèreté et de grâce, devienne trop suave et langoureuse : *Vierge et Enfant avec cinq anges*★★★, *Portrait de jeune*

Piero Della Francesca : Sigismond Malatesta, l'un des premiers tableaux peints à l'huile en Italie.

*homme***, *Vierge, l'enfant Jésus et saint Jean Baptiste***. *Giovanni Boticcini* (Florence, 1446-1497) : Vierge adorant l'Enfant avec saint Jean Baptiste et deux anges. *Filippino Lippi :* Scènes de l'histoire de Virginie, Vierge à la grenade, Histoire d'Esther et d'Assuérus. *Luca Signorelli* (Cortone, 1450-1523) : la Naissance de saint Jean Baptiste (en vitrine). *Andrea Mantegna* (Padoue, 1431-Mantoue, 1506); ce fut un très grand peintre amoureux de l'Antiquité en même temps qu'appliqué à rendre ce qu'il voyait avec le plus grand réalisme, qui possédait aussi une science étonnante du dessin et de la perspective : *Saint Sébastien****, une toile qui a orné l'église d'Aigueperse jusqu'en 1910 et avait été apportée en Auvergne à l'occasion du mariage de Claire de Gonzague avec un Montpensier; *le Calvaire***; la Madone de la Victoire. *Antonello de Messine* (école vénitienne; 1430-1479) : *le Condottiere***, dans lequel on notera la transparence de la peau qui donne tellement de vie à ce visage autoritaire, dur et intelligent. *Giovanni Bellini : Portrait d'homme**. *Cosimo da Tura* (école de Ferrare; 1430-1495) : *Pietà***. *Carlo Crivelli* (école vénitienne; 1430-1516) : Saint Jacques de la Marche. *Bartolomeo Vivarini* (Venise, 1430-1491) : Saint Jean de Capistran.

Vitrine g. *Vincenzo Catena* (1480/ 1485-1531) : Portrait de Guilio Mellini. *École* *de Roberti* (Ferrare, 1450-1496) : Sainte Apolline et saint Michel. *Cosimo da Tura :* Saint Antoine de Padoue lisant, panneau d'un polyptyque dont un élément se trouve à Caen (Saint Jacques) et un autre aux Offices (Saint Dominique). *École de Padoue* (seconde moitié du XVe s.) : Vierge et Enfant. *Bernardo Parentino* (1437-1531) : Adoration des Mages. *Carlo Crivelli : le Christ mort**.

Vitrine dr. *Fra Angelico :* Ange en adoration. *École de Fra Angelico :* le Banquet d'Hérode. *Francesco Pesellino* (1422-1457) : Saint François d'Assise recevant les stigmates, Saint Cosme et saint Damien soignant les malades. Attribué à *Léonard de Vinci :* Annonciation. *Luca Signorelli* (1450-1523) : Naissance de saint Jean Baptiste. *Raphaël :* Ange, fragment du retable de Saint-Nicolas de Tolentino (1500-1501), peint pour l'église San Agostino de Citta di Castello, première œuvre datée du maître, dont l'acquisition récente (1981) permet de suivre au Louvre l'évolution de l'artiste depuis ses débuts jusqu'aux œuvres prestigieuses de la fin de sa carrière et que l'on peut voir salle des États. *Zoppo* (1433-1478) : la Vierge et l'Enfant entourés d'anges, œuvre représentative du milieu padouan passionné d'archéologie (acquise en 1980). *Giovanni Bellini* (école vénitienne; 1430-1516) : Sainte conversation, Crucifixion, *Christ bénissant**, Vierge entre saint Pierre et saint Sébastien, Portraits de deux hommes. *Vittore Carpaccio* (Venise, 1437-1525); remarquable par son sens du coloris qui annonce les grands Vénitiens, ainsi que par son sens de l'architecture et de la construction : *Prédication de saint Étienne à Jérusalem***, œuvre faisant partie d'un ensemble de cinq tableaux relatant la vie du saint. *Bartolomeo Montagna* (1450-1523) : Ecce Homo. *Cima da Conegliano* (1459-1517/1518) : Vierge et Enfant avec saint Jean Baptiste et Madeleine. *Jacopo di Barbari* (1440-1516) : Vierge à la fontaine. *Marco Palmezzano* (1455-1539) : Christ mort (1510). *Lorenzo di Credi* (Florence, 1456-1537) : Vierge entre saint Julien et saint Nicolas. Plusieurs toiles allégoriques de *Mantegna : le Parnasse**. *Le Pérugin (Pietro Vanucci,* dit; 1445-1523); peintre très fécond, qui travailla à Florence avec Verrocchio et Léonard de Vinci et qui possédait, en un temps où cela était encore rare, le sens de l'espace et de la perspective : *Vierge et Enfant entre sainte Catherine et saint Jean Baptiste****, *Vierge entourée de saintes et d'anges**. *Piero di Cosimo* (Florence, 1462-1521) : Vierge à la colombe. *Domenico Ghirlandajo* (Florence, 1449-1494) : *la Visitation**; Vierge à l'Enfant; *Portraits d'un* *vieillard et d'un enfant***, exécutés, pourrait-on dire, dans le style des portraits flamands. *Bartolomeo di Giovanni* (connu à la fin du XVe s.) : les Noces de Thétis et de Pelée, Cortège de Thétis. *Sebastiano Mainardi* (1460-1513) : la Vierge, l'Enfant et saint Jean Baptiste.

Salle des États (9) : peinture italienne du XVIe siècle

C'est Florence qui fut le centre où s'élabora, tout au long du XVe s., le monde nouveau qui, à l'aube du XVIe s., allait s'étendre bien au-delà des frontières de la péninsule et qui marque une étape dans l'histoire des civilisations : le monde de la Renaissance. Au cours du siècle précédent, les villes ont gagné en puissance et même supplanté l'Église dès le début du XVIe s. L'homme prend alors la place des héros chrétiens ou mythologiques; il s'appuie sur la science et non plus seulement sur les textes sacrés. Il devient un homme d'action, qui découvre et explore des mondes inconnus. Au XVIe s., la connaissance par la raison va se substituer à la connaissance par la foi. Inspirée par son temps, la peinture du XVIe s. est à la gloire de l'homme.

Titien (*Tiziano Vecelli,* dit; vers 1485 ou 1488/1489-1576). Cet élève de Bellini, puis de Giorgione, fut un coloriste magnifique, amoureux passionné de la beauté, et son œuvre est

---

À ne pas manquer

Les numéros entre parenthèses renvoient aux salles indiquées sur le plan.

Grande Galerie *(4)*

La Vierge aux anges, de Cimabue (XIIIe s.); Saint François recevant les stigmates, de Giotto (XIVe s.); Princesse de la maison d'Este, de Pisanello (XVe s.); Couronnement de la Vierge, de Fra Angelico (XVe s.); Portrait de Sigismond Malatesta, de Piero Della Francesca (XVe s.); Bataille de San Romano, de Paolo Uccello (XVe s.); Vierge à l'Enfant avec cinq anges, de S. Botticelli (XVe s.); Saint Sébastien, de A. Mantegna (XVe s.).

Salle des États *(9)*

Elle est consacrée aux chefs-d'œuvre des plus grands peintres du XVIe s.; c'est là que l'on verra la Joconde.

Salle Duchatel *(2)*

La Mort de la Vierge, du Caravage (XVIIe s.).

Aile de Flore *(18)*

La Diseuse de bonne aventure, du Caravage (XVIIe s.); Saint Jérôme, de Magnasco (début XVIIIe s.); Série des Fêtes vénitiennes, de F. Guardi (XVIIIe s.); Cène, de G. B. Tiepolo (XVIIIe s.).

Véronèse : les Noces de Cana, un sens aigu de la mise en scène

une sorte d'hymne à la plénitude de la créature humaine. Sa façon de traiter les noirs, comme dans l'Homme au gant, lui permet d'accentuer sa compréhension du modèle. Mise au tombeau (1525); Vierge au lapin; *Saint Jérôme dans le désert*★; *l'Homme au gant*★★★; *Portrait d'homme*★★; Portrait de François Ier, exécuté d'après une médaille; Femme à sa toilette; la Vierge et l'Enfant Jésus; Allégorie; Vierge dite du Pardo; les Pèlerins d'Emmaüs; *le Couronnement d'épines*★; *le Concert champêtre*★★★, longtemps attribué à Giorgione, est considéré de nos jours comme l'une des premières œuvres de Titien.

Véronèse (***Paolo Caliari,*** dit; 1528-1588). Peintre du luxe, de la volupté, de l'opulence, il avait aussi un sens aigu de la mise en scène et de la décoration d'un théâtre imaginaire dont les héros auraient appartenu à la religion ou à la mythologie. Jupiter foudroyant les crimes; *la Belle Nani*★★; *Suzanne au bain*★★; Portement de croix; la Vierge avec Jésus, sainte Catherine et un bénédictin; le Calvaire; Évanouissement d'Esther; *les Pèlerins d'Emmaüs*★★, qui fit partie du legs de Richelieu à Louis XIII. *Les Noces de Cana*★★, cette œuvre exécutée pour les bénédictins de San Giorgio Maggiore en 1563, est entrée au Louvre en 1799. Il s'agit d'une composition de dimensions inhabituelles, considérée comme la plus réussie des compositions de ce genre. Parmi les 132 personnages réunis sur la toile, on reconnaîtrait Soliman Ier, Élisabeth d'Autriche, François Ier, Charles

Quint, et les musiciens seraient Titien (la contrebasse), Véronèse (la viole), le Tintoret (le violon), Jacopo Bassano (la flûte). Plus que par une scène sacrée, l'œuvre est inspirée par le « Banquet » de Platon. Elle est en cours de restauration grâce au mécénat.

Tintoret (*Jacopo Robusti,* dit *le ;* 1518-1594). Très différent des deux autres Vénitiens, il avait une prodigieuse facilité et n'a jamais cessé de perfectionner son art : Autoportrait datant des dernières années; *le Paradis***, esquisse pour le fond de la salle du Conseil du palais des Doges; Portrait d'homme; *Suzanne au bain***.

Raphaël (*Raffaello Sanzio,* dit; 1483-1520). Sainte Marguerite; *Saint Michel terrassant le dragon**, *Grande Sainte Famille***, œuvres qui, apportées en France par François Ier, se trouvaient à Fontainebleau; Saint Georges et saint Michel; *la Belle Jardinière****, appelée aussi la Sainte Famille, de 1507; la Vierge au turban bleu.

Corrège (*Antonio Allegri,* dit *le ;* 1489-1534). *Le Sommeil d'Antiope***, composition audacieusement ordonnée selon la diagonale du corps d'Antiope; Mariage mystique de sainte Catherine d'Alexandrie (1520). Ces deux toiles ont été rachetées par Louis XIV aux héritiers de Mazarin, lequel les tenait de Jabach.

Sébastien del Piombo (1485-1547) : la Visitation. *Andrea del Sarto* (1486-1531) : Sainte Famille, *la Charité**. *Giovanni Baptista Rosso* (Florence, 1494 - Fontainebleau, 1540) : Déposition de croix, exécutée à l'intention du connétable de Montmorency, tableau longtemps demeuré au château d'Écouen. *Raphaël : Portrait de Balthazar Castiglione****, diplomate, humaniste, auteur d'un ouvrage, « Le Courtisan », qui devait rivaliser avec « Le Prince » de Machiavel ; l'artiste a souligné ce qu'il y avait de bon, d'intelligent et de noble chez son modèle.

Léonard de Vinci (1452-1519). Le Louvre possède de cet artiste, qui compte parmi les plus grands de tous les temps, un ensemble d'œuvres universellement connues : *la Joconde****, qui serait le portrait (acquis par François Ier pour 4 000 écus) de Mona Lisa Gherardini del Gioconda, épouse d'un médecin florentin et qui à l'époque était âgée de vingt-quatre ans ; *Bacchus****, qui devait être à l'origine saint Jean Baptiste ; *la Vierge, l'Enfant Jésus et sainte Anne****, commandée pour l'Annunziata à Florence, dont les trois figures s'inscrivent dans une forme unique suggérant la continuité des générations et symbolisant l'union charnelle et spirituelle de la maternité — toile faisant partie des collections royales, qui avait été donnée à un inconnu et rachetée par Richelieu ; la *Vierge aux rochers**** (dont il existe une autre version conservée à la National Gallery), où on notera la subtilité de la lumière, le mystère des teintes glauques, l'atmosphère toujours un peu ambiguë propre à l'œuvre de Vinci ; *Saint Jean Baptiste***, qui a été peint en France ; *la Belle Ferronnière***.

Vestibule de la salle des États (8)

Dans le passage à g., derrière les Noces de Cana de Véronèse, sont présentées les œuvres d'artistes de l'Italie du Nord du début du XVIe s. fortement influencés par Léonard de Vinci. *Andrea Solario* (vers 1470-1514), qui travailla en France pour le cardinal Georges d'Amboise au château de Gaillon : la Crucifixion (1503) ; l'Annonciation (1506), dont le paysage a été ajouté par un artiste nordique au XVIIe s. ; Portrait de Charles d'Amboise, gouverneur de Milan en 1500 et neveu du cardinal d'Amboise, auquel il recommanda l'artiste ; Madone au coussin vert, très célèbre tableau acheté par Catherine de Médicis aux Cordeliers de Blois. *Giovanni Boltraffio* (vers 1467/1471-1516) : la Vierge de la famille Casio, commandée en 1500 par la famille Casio pour l'église de la Miséricorde de Bologne. *Lorenzo Lotto* (1480-1556) : le Christ portant sa croix (1526), découvert en France dans une église du Puy et acheté par le Louvre en 1982 ; la Femme adultère. *Savoldo* (1480-1548) : Portrait d'homme en armure, peut-être celui de Gaston de Foix qui dirigea le siège de Brescia, ville natale de

Savoldo ; le jeu des trois miroirs à l'arrière-plan rend cette toile très originale. *Le Corrège :* Allégorie des Vices et des Vertus.

Sur le retour du passage vers la salle des États, portraits florentins maniéristes : *Bronzino* (1503-1572), portrait d'un sculpteur ; *Franciabigio* (1482-1525), portrait d'homme ; *Pontormo* (1494-1556), portrait d'un orfèvre.

Salle Duchatel (2)

Les grandes compositions du XVIIe s. sont accrochées provisoirement dans cette salle. On peut voir actuellement la *Mort de la Vierge**** du *Caravage,* peint pour l'église Santa Maria della Scala del Trastevere. La toile fut refusée par les ecclésiastiques, qui la jugèrent indécente, mais elle enthousiasma les milieux artistiques. L'auteur, Michelangelo Merisi, dit le Caravage (1573-1610), en prolétarisant les sujets religieux, en donnant aux ombres une importance jamais accordée auparavant, s'opposait aux conceptions humanistes aussi bien qu'au maniérisme. Le réalisme, la beauté un peu vulgaire de la Vierge, font de cette toile d'une grande rigueur technique une scène quotidienne et pathétique. Le tableau fut acheté par Jabach à la vente de Charles Ier d'Angleterre et revendu à Louis XIV. *Annibal Carrache* (1560-1609) : Apparition de la Vierge à saint Luc et à sainte Catherine, la Chasse, la Pêche. *Ludovic Carrache* (1555-1619) : la Vierge de saint Hyacinthe. *Guido Reni* (1575-1642) : Déjanire et le centaure Nessus, Hercule sur le bûcher, David vainqueur de Goliath, Hercule tuant l'hydre de Lerne, Hercule et Acheloüs. *Antonio Carrache* (1583-1618) : le Déluge. *Domenico Fetti* (1589-1623) : l'Ange gardien. *Guerchin* (*Giovanni Francesco Barbieri,* dit *le ;* 1591-1666) : Résurrection de Lazare. *Luca Giordano :* deux *portraits de Philosophes**. *Serodine* (1600-1630) : Jésus parmi les Docteurs (acquis en 1983).

Aile de Flore (18) :
peinture italienne des XVIIe et XVIIIe siècles

On y accède soit directement par la porte de Flore (premier étage), soit en suivant la Grande Galerie et en traversant les salles de la peinture du Nord. Il s'agit pour la plupart de tableaux achetés par Louis XIV. Les œuvres, très variées, permettent de passer de l'académisme des Carrache au réalisme vivant du Caravage ; on en verra aussi un certain nombre tirées des réserves et qui représentent des écoles italiennes fort diverses, un important ensemble d'œuvres du Dominiquin, un des premiers grands peintres du paysage classique, et enfin un assez grand nombre de toiles vénitiennes caractéristiques de cette époque et surtout de cette ville, qui vivait à la fin du XVIIIe s. dans un climat de liberté déréglée, dans un désordre équivoque, qui n'était pas sans pathétique.

Annibal Carrache : la Résurrection du Christ. *Orazio Gentileschi* (Pise, 1563 - Londres, 1647) : le Repos pendant la fuite en Égypte. *Le Caravage* (→ salle 11) : *Adolf de Vignacourt**; *la Diseuse de bonne aventure***, qui diffère des œuvres traitant du même sujet et a fait l'objet d'une exposition des Dossiers du Louvre (1977). *Bartolomeo Schedone* (1578-1615) : Mise au tombeau. *Guido Reni* (1575-1642) : *Ecce Homo**, *Saint Sébastien**. *Dominiquin* (*Domenico Zampieri,* dit *le;* 1581-1641), école bolonaise, élève des Carrache : Paysage avec la fuite en Égypte, Herminie chez les bergers, Sainte Cécile, Combat d'Hercule, Hercule et Cacus. *Agostino Carrache :* Annonciation. *Annibal Carrache :* le Sacrifice d'Abraham. *Francesco Mola* (1612-1666) : Pirate barbaresque, Prédication de saint Jean Baptiste dans le désert. *Pietro de Cortone* (1596-1669) : Vénus en chasseresse apparaît à Énée. *Carlo Maratta* (1625-1713) : Marie-Madeleine Rospigliosi. *Le Guerchin :* Saint François d'Assise et saint Benoît. *Lionello Spada* (1576-1622) : le Retour de l'enfant prodigue. *Domenico Fetti :* la Mélancolie, une des œuvres inspirées par ce thème; l'Empereur Néron. *Bernardo Strozzi* (1581-1644) : la Sainte Famille, la Vierge, l'Enfant Jésus et un ange. *Giovanni Castiglione* (1610-1665) : Abraham et Melchisédech, les Marchands chassés du temple, Adoration des Bergers. *Gregorio da Ferrari* (1644-1726) : Junon et Argus (don de la Société des Amis du Louvre, 1981). Ces deux derniers peintres représentent l'école génoise. *Il Baccicio* (1639-1709); on a dit de cet artiste qu'il était en peinture l'équivalent du Bernin, le grand sculpteur baroque romain : la Prédication de saint Jean Baptiste. *Valerio Castello* (1625-1659) : le Frappement du rocher. *Salvator Rosa* (1615-1673) : Paysage avec un chasseur et des guerriers. *Luca Giordano* (1634-1705) : le Mariage de la Vierge, Adoration des Bergers. *École napolitaine du XVIIe s. :* le Concert. *Paolo Porpora* (1617-1673) : Nature morte. *Aniello Falcone* (1607-1656) : Une Bataille. *Francesco Solimena* (1657-1747) : Héliodore chassé du temple. *Giuseppe Angeli* (1709-1798) : le Militaire et le petit tambour. *Giuseppe Crespi* (1665-1747), école bolonaise : la Puce, Saint Anselme écrivant sous la dictée de la Vierge. *Alessandro Magnasco* (1667-1749) : *Saint Jérôme***, Paysage maritime, Repas de bohémiens. *Sébastien Ricci* (1660-1734) : le Satyre et le paysan.

Francesco Guardi (Venise, 1712-1793); peintre original qui a laissé de sa ville des vues exactes en même temps que très poétiques : dix des douze scènes de la série des *Fêtes vénitiennes*** données à l'occasion de l'élection du doge de Venise, Alvise IV Mocegino, en mai 1763 (les deux autres sont à Grenoble et à Bruxelles); Vue de l'église Saint-Jean et Saint-Paul; l'église San Zanipolo et la confrérie San Marco à Venise; Scènes en l'honneur du couronnement du doge Mocenigo. *Pietro Longhi* (1702-1785) : la Présentation. *Giovanni Paolo Pannini* (1692-1766), auteur de grandes compositions décoratives et monumentales : Concert et préparatifs de la fête donnée sur la place Navone, à l'occasion de la naissance du Dauphin, fils de Louis XV, en 1729. *Michele Marieschi* (1710-1743) : Vue de la Salute à Venise. *Giovanni Battista Tiepolo* (1690-1770) : *la Cène***, Apollon et Daphné, Alexandre et Campaspe chez Apelle. *Domenico Tiepolo* (1727-1804), fils du précédent : *Scène de carnaval**, le Charlatan, le Triomphe de la religion. *Giovanni Antonio Pellegrini* (1675-1747) : Entrée triomphale du prince Johann Wilhelm de Pfalz. *Giovanni Battista Pittoni* (1687-1767) : la Continence de Scipion, Polyxène sacrifié aux mânes d'Achille, Jésus-Christ donnant les clefs à saint Pierre. *Pompeo Batoni* (1708-1784), portraitiste le plus connu d'Europe au milieu du XVIIIe s., par lequel tous les Anglais de passage en Italie se faisaient peindre : Charles John Crawle.

La collection Beistegui

Les trois dernières alvéoles de la galerie de Flore sont réservées à la collection Beistegui, donnée au Louvre en 1953. *École franco-flamande* (fin XIVe s.) : Vierge à l'Enfant. Le *Maître de Moulins* (connu entre 1480 et 1500) : *Portrait du Dauphin Charles Orland***. *Pierre Paul Rubens (1577-1640) :* la Mort de Didon. *Antoine Van Dyck* (1599-1641) : Portait d'un inconnu. *Nicolas de Largillière* (1656-1746) : la Duchesse de Bouillon. *Jean-Marc Nattier* (1685-1766) : *la Duchesse de Chaulnes en Hébé***. *François-Hubert Drouais* (1727-1775) : *la Femme de l'artiste**. *Fragonard* (1732-1806) : le Feu aux poudres, Portrait d'un jeune artiste. *David (1748-1825) : Mme de Verninac**, *Portrait du général Bonaparte***, Portrait de M. Meyer. *Thomas Lawrence* (1769-1830) : Portrait de Mrs. Cuthbert. *François Gérard* (1770-1837) : Portrait de Mme Lecerf. *Ingres (1780-1867) :* Portrait de Bartolini, sculpteur lucquois, de 1820; *Portrait de Mme Panc-*

koucke*. *Ernest Meissonier* (1815-1891) : la Barricade, Jeune Homme écrivant. *Ignacio Zuloaga* (1870-1945) : Portrait de Carlos de Beistegui (1911). *Francisco de Goya : la Comtesse del Carpio, marquise de la Solana****.

Avec cette toile, considérée comme le joyau de la collection par ses jeux de noir, de blanc et de rose, on arrive à la peinture espagnole, qui est exposée dans la salle du pavillon de Flore.

LA PEINTURE ESPAGNOLE

Accès direct par la porte Jaujard.

La collection de tableaux espagnols, de formation relativement récente, est exposée depuis 1969 dans les salles du premier étage du pavillon de Flore. Si le nombre des toiles n'est pas aussi important que celui des autres écoles étrangères, du moins s'agit-il de très belles œuvres.

▸ Pour commencer la visite dans l'ordre chronologique, tourner à g., en venant de la collection Beistegui.

Aile de Flore (19) premier étage

Maître de Burgo de Osma (Valence, début XVe s.) : retable montrant la Vierge, l'Enfant Jésus, saint Jean Baptiste et saint Ambroise. *Bernardo Martorell* (travaillait en Catalogne vers 1452) : Légende de saint Georges. *Jaime Huguet* (1415-1492) : Flagellation, Mise au tombeau. *Maître de Saint Ildefonse* (travaillait en Castille à la fin du XVe s.) : Imposition de la chasuble à saint Ildefonse. Maître anonyme portugais du milieu du XVe s. : *l'Homme au verre de vin***; cet admirable portrait a longtemps été attribué à un maître français, mais l'historien d'art Charles Sterling l'a récemment (et semble-t-il définitivement) attribué à ce maître portugais, qui aurait été celui de Nuño Gonzalvès. *Francisco de Herrera le Vieux* (vers 1576-1657) : Saint Basile dictant sa doctrine. *Luis Tristan de Tolède* (vers 1586-1624) : Saint François d'Assise. *Le Greco* (1541-1614) :

À ne pas manquer

Christ en croix, du Greco (XVIe s.); l'Adoration des Bergers, de J. de Ribera (XVIIe s.); deux scènes de la vie de saint Bonaventure, par F. de Zurbarán (XVIIe s.); portrait de Marie-Anne d'Autriche, de D. Vélasquez (XVIIe s.); le Jeune Mendiant, de E. Murillo (XVIIe s.); portraits de la Marquise de Santa-Cruz et de la Marquise de la Solana (collection Beistegui), par Goya (XVIIIe s.).

---

*Christ en croix adoré par deux donateurs***; on verra que ce Christ est très proche des premières œuvres de l'artiste à Tolède, en même temps qu'il anticipe sur l'Enterrement du comte d'Orgaz; Saint Louis, roi de France; Portrait de Covarrubias. ***José de Ribera*** (1588-1656) : *Adoration des Bergers***, le Pied-bot, *Christ au tombeau**, Saint Paul ermite. ***Juan Carreño de Miranda*** (1614-1685) : Messe de fondation de l'ordre des Trinitaires. ***Francisco de Zurbarán*** (1598-1662) : *Saint Bonaventure au concile de Lyon**, *Exposition du corps de saint Bonaventure**. ***Francisco Collantes*** (1599-1656) : le Buisson ardent. ***Diego Vélasquez*** (1599-1660) : *la Reine Marie-Anne d'Autriche***, l'Infante Marguerite, l'Infante Marie-Thérèse (attribué). ***Estebán Murillo*** (1618-1682) : *la Cuisine des Anges***, *la Naissance de la Vierge***, *le Jeune Mendiant****, Apparition de la Vierge immaculée. ***Francisco de Goya*** (1746-1828) : portrait de Ferdinand Guillemardet (vers 1798); le Mariage inégal, tableau de genre entré au musée en 1970; la Femme à l'éventail, portrait dont on ignore le modèle, mais qui, à en juger par les tonalités grise et noire, doit dater de 1810 environ; *Portrait de la marquise de Santa Cruz***, entré au Louvre en 1976. ***Luiz Melandez*** (1716-1780) : Autoportrait, Nature morte.

DEUXIÈME ÉTAGE

Donation Hélène et Victor Lyon

Cette collection est entrée au Louvre en 1971 et comporte des œuvres impressionnistes de ***Renoir, Sisley, Monet, Cézanne, Degas,*** et un ensemble varié comprenant notamment des œuvres de ***Jan van Goyen*** (1596-1656) : Paysage (1632), les Patineurs (1637), Vue du Rhin (1647), tableau presque monochrome, un des chefs-d'œuvre de l'artiste; ***Bernardo Strozzi*** (1581-1644) : Portrait d'homme, souvent attribué à Vélasquez; ***Canaletto*** (1686-1768) : le Rialto, la Salute; ***Gian Domenico Tiepolo*** (1727-1804) : le Christ et la femme adultère, Jésus ressuscitant le paralytique.

Donation de la princesse Croy

Cette collection, donnée au Louvre en 1930 et 1932 par la princesse Croy, qui la tenait de son père, le comte de l'Espine, comprend 3700 dessins et paysages de ***Valenciennes*** (dont certains sont exposés salle 3 de cet étage) et un ensemble de tableaux hollandais : *les Pantoufles**, longtemps attribué à un suiveur de Vermeer, mais qui vient d'être rendu à ***Samuel van Hoogstraten***; *l'Arracheur de* *dents*★, de *Gérard von Honthorst;* Marines, de *Salomon Ruysdael* et d'*Abraham van Bayeuren;* les Cinq Sens, d'*Antoine Palamédès.*

Peintures allemande et anglaise des XVIII*e et* XIX*e siècles*
Portraits peints par *Johan Zoffany* (1733-1810) : le Révérend Burroughs et son fils (1769), acquis en 1974; *Allan Ramsay* (1713-1784). *Thomas Gainsborough*

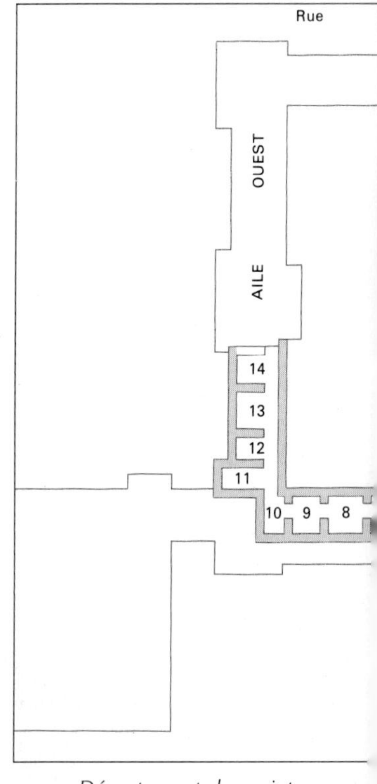

Département des peintures

Pavillon de Flore
Salle d'exposition du Cabinet des Dessins
Aile de Flore
Galerie d'étude
Salle d'expositions temporaires
Salles autour de la Cour Carrée : aile S.
1 Salle néo-classique
2 Salle Ingres
3 Cabinets Boilly et Corot
4 Salle romantique
5 Salle de la donation Moreau-Nélaton
6 Salle du paysage romantique

(1727-1788) : Conversation dans un parc, œuvre de jeunesse de l'artiste, qui s'est représenté avec sa femme. *Sir Joshua Reynolds* (1723-1792) : Master Hare. *Georges Romney* (1734-1802). *John Hamilton Mortimer* (1740-1779). *Sir Henry Raeburn* (1756-1823). *Sir Thomas Lawrence* (1769-1830) : *Julius Angerstein*★. *Wright of Derby* (1734-1797) : Portrait de gentilhomme (acquis en 1985). *Giovanni Battista Lampi* (1751-1830).

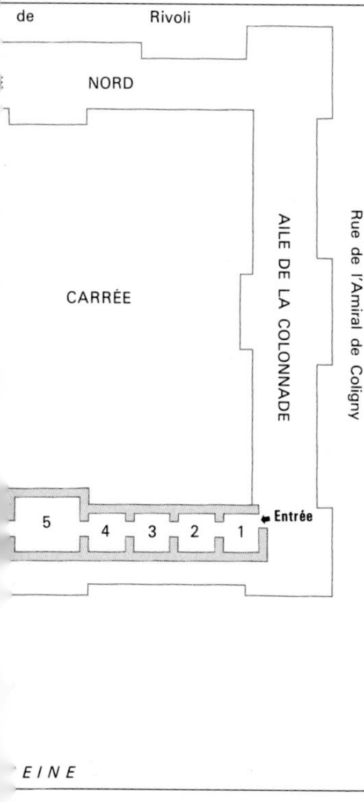

deuxième étage

---

7 Salle dite du romantisme pittoresque
8 Corot, Troyon
9, 10 Salles de la collection Thomy-Thierry
Salles autour de la Cour Carrée : aile O.
11 Donation Hélène et Victor Lyon : époque impressionniste
12 Donation Hélène et Victor Lyon : peintures du XVe au XIXe s.
13 Écoles anglaise et allemande des XVIIIe et XIXe s.
14 Donation de la princesse de Croy.

LA PEINTURE DES ÉCOLES DU NORD

Accès : porte Jaujard ou porte Denon, premier étage (salles 12, 14, 15, 16, 17).

En attendant la nouvelle présentation des écoles de peinture dans le cadre du Grand Louvre, les écoles du Nord – flamande, hollandaise et allemande –, sont réparties chronologiquement dans le Louvre : les XVe et XVIe s. sont exposés dans les petits cabinets sud, côté Seine ; le XVIIe s. dans les petits cabinets nord, côté Tuileries, la salle Van Dyck, la galerie Médicis et la salle des Sept-Mètres.

1er à 5e petits cabinets sud (16) : peinture flamande et hollandaise des XVe et XVIe siècles

Le XVe s. est le siècle d'or des primitifs flamands (la différenciation entre art flamand et hollandais ne se fera qu'au XVIIe s.) ; la région comprise dans les limites politiques de la Belgique et des Pays-Bas se couvre de grandes richesses artistiques. Les cités commerçantes prospères de Bruges, Gand et Bruxelles attirent les artistes, qui viennent y chercher une clientèle et s'y former. Deux personnalités éminentes, Van Eyck à Bruges, Van der Weyden à Bruxelles, rénovèrent radicalement la technique picturale et exercèrent une forte influence sur leurs contemporains et leurs successeurs. Au XVIe s., Anvers, entrepôt de l'Europe et foyer de la Réforme, devint le grand centre artistique du Nord. Les influences de la Renaissance italienne, de l'humanisme d'Érasme et de la Réforme de Luther, se conjuguèrent pour créer les nouvelles formes de la peinture de chevalet, qui firent la renommée de la peinture flamande et hollandaise : la scène de genre, la nature morte, le paysage.

Maître de Saint-Barthélemy (Cologne, 1450-1510) : Descente de croix. *Joss Van Cleve* (1485-1541) : la Vierge et l'Enfant adorés par saint Bernard ; le Christ descendu de la croix ; la Cène, retable provenant de Sainte-Marie-de-la-Paix à Gênes.

1er cabinet. Petrus Christus (vers 1420-1472/73) : la Déploration du Christ. *Thierry Bouts* (1420-1475) : fragment d'une Nativité ; Déposition du Christ, inspirée directement par l'œuvre de Rogier Van der Weyden ; Vierge à l'Enfant. *Jan Van Eyck* (1390-1441) : *la Vierge du chancelier Rolin****, appelée aussi Vierge d'Autun car elle provient de l'église collégiale d'Autun, où le donateur agenouillé devant la Vierge est peut-être Nicolas Rolin, chancelier de Bourgogne et père de Jean Rolin, évêque d'Autun, est un des chefs-d'œuvre du Louvre, qui nous est parvenu dans un état de conservation exceptionnel. *Rogier Van der Weyden* (1399-1464) :

*Salutation angélique***, panneau central d'un triptyque, dont les volets latéraux sont au musée d'Autun; *triptyque de la Famille Braque***, peint sans doute vers 1450, après le retour d'Italie de l'artiste et avant le retable du Jugement Dernier de Beaune, où apparaît la même figure hiératique du Christ bénissant, au revers des panneaux latéraux duquel sont peints une tête de mort, une croix et le blason de Jean Braque et de sa femme Catherine de Brabant, pour qui avait été fait ce petit autel portatif. ***Maître de Sainte-Gudule*** (XVe s.) : Instruction pastorale, où figure, à l'arrière-plan, la cathédrale Sainte-Gudule de Bruxelles en cours de construction. ***Petrus Christus*** (vers 1420-1472/73) : Déploration, directement inspirée de la Pietà de Van Eyck. ***Thierry Bouts :*** Déploration, directement inspirée du triptyque de la Vierge de Grenade de Van der Weyden. ***Gérard de Saint-Jean*** (vers 1460 - vers 1488/1490) : la Résurrection de Lazare, composition identique à celle d'Oudewater pour le tableau conservé au musée de Berlin-Dahem.

2e cabinet. ***Hans Memling*** (vers 1433-1494) : *Portrait de femme âgée** (le pendant, Portrait d'homme âgé, est au musée de Berlin-Dahem); le *Mariage mystique de sainte Catherine***; le Martyre de saint Sébastien; Résurrection du Christ, Ascension, triptyque datant des dernières années; *Vierge dite de Jacques Floreins***; Étude de tête; Saint Jean Baptiste, Sainte Madeleine, la Fuite en Égypte, panneaux d'un triptyque dispersé (don de Mme Bethsabée de Rothschild, 1874). ***Gérard David*** (1450-1523) : les Noces de Cana, la Vierge et l'Enfant entre le donateur Jean de Sedano et sa femme avec leurs saints patrons. ***Jean de Flandres*** (connu en Espagne de 1496 à 1504) : le Christ et la Samaritaine, un des 47 panneaux peints pour la reine de Castille, Isabelle la Catholique, entre 1496 et 1504, en collaboration avec ***Michel Sittow*** (vers 1496-1525), dont le Louvre a acquis en 1965 le Couronnement de la Vierge, peint pour le même ensemble. ***Jérôme Bosch*** (1450-1516), une des figures les plus étranges du monde de la peinture, doué d'une imagination débridée, en apparence incohérente et choquante, mais en même temps soumise à une lucidité impitoyable; mystique, et pourtant familiarisé avec tout un monde de démons, de sorcières, de magie, de signes, de paraboles, Bosch est d'un temps où finit le Moyen Âge et où commence la Renaissance : *la Nef des fous***.

3e cabinet. ***Quentin Metsys*** (1465-1530) : *le Prêteur et sa Femme****, un des tableaux les plus célèbres de cette époque et dans lequel certains voient la charnière entre la vision de Van Eyck et celle de Vermeer; Christ mort sur les genoux de la Vierge (1515); Vierge et Enfant (1529). *Jan Gossaert,* dit *Mabuse* (1472-1536) : *diptyque de Jean Carondelet**, portrait d'un Bénédictin. *Van Orley* (vers 1492-1552) : portrait d'Homme. *Cornélis Van Dalem* (1535-1573/1575) : Cour de ferme par une matinée d'hiver. *Gilles Mostaert* (1534-1598) : Scène de genre. *Aergten Van Leyden :* Nativité. *Monogrammiste de Brunswick* (XVIe s.) : le Sacrifice d'Abraham. *Pierre Breughel le Vieux* (1525-1569) : *les Mendiants**. *Joachim Patenier* (1475/1480-1524) : *Saint Jérôme dans le désert***. *École de Leyde* ou *Anvers* (XVIe s.) : Loth et ses filles. *Lucas de Leyde* (1489?-1533) : la Joueuse de cartes (legs de Mme Pierre Lebaudy, 1962). *Joos Van Cleve* (vers 1485-1540) : Saint Bernard et la Madone, Christ bénissant. *Maître du Martyre de Saint Jean l'Évangéliste. Jean Bellegambe* (vers 1467-av. 1536) : Pietà, composition inspirée de Bouts; Vierge à l'Enfant.

4e *cabinet. Jan Sanders Van Hemessen* (vers 1500-vers 1565) : Tobbie et l'Ange. *Frans Floris*

À ne pas manquer

Les numéros entre parenthèses renvoient aux salles indiquées sur le plan.

Petits cabinets sud *(16) : XVe-XVIe siècles*
La Vierge au chancelier Rolin, de Van Eyck (1er cabinet); Salutation angélique et un triptyque, de Rogier Van der Weyden (1er cabinet); Mariage mystique de sainte Catherine, de Hans Memling (2e cabinet); Nef des fous, de Jérôme Bosch (2e cabinet); Prêteur et sa femme, de Quentin Metsys (3e cabinet); Saint Jérôme dans le désert, de Joachim Patenier (3e cabinet); Autoportrait, de A. Dürer (7e cabinet); Érasme, par H. Holbein (7e cabinet).

Petits cabinets nord *(7) : XVIIe siècle*
La Dentellière et l'Astronome, de J. Vermeer de Delft (2e cabinet); les esquisses, de Rubens (3e cabinet); la Bataille d'Arbèles, de Jean Bruegel de Velours (7e cabinet).

Salle Van Dyck *(14) : XVIIe siècle*
La Kermesse, l'Adoration des Mages et portrait d'Hélène Fourment et ses enfants, par P. P. Rubens (XVIIe s.); Charles Ier, roi d'Angleterre, par A. Van Dyck (XVIIe s.); les quatre Évangélistes, de Jacob Jordaens.

Galerie Médicis *(15)*
Les 21 toiles de Rubens consacrées à l'Histoire de Marie de Médicis (XVIIe s.).

Salle des Sept-Mètres *(12) : XVIIe siècle*
Portraits de Franz Hals (1re travée); Bethsabée, les Pèlerins d'Emmaüs, le Bœuf écorché et les autoportraits, de Rembrandt van Rijn (3e travée).

(1516-1670) : la Trinité, tableau qui se trouvait dans l'église Saint-Sulpice de Paris avant la Révolution. *Otto Van Veen* ou *Venius* (1566-1629) : Déploration du Christ, qui provient de l'église de Villeneuve-sur-Yonne, composition monumentale du maître de Rubens, longtemps attribuée à un élève d'Andrea del Sarto. *Vincent Sellaer* (vers 1500-1589) : Jupiter en satyre avec ses jumeaux (acquis en 1981), proche des représentations de la Charité d'Andrea del Sarto et de l'école de Fontainebleau. *Giovanni Stradanus* (1523-1605) : Vanité, la Modération et la Mort (légué en 1980), allégorie peinte à Florence en 1569 alors que le peintre travaillait avec Vasari au décor du Palazzo Vecchio. *Antonio Moro* (1519-1575), peintre itinérant, portraitiste attitré de la cour d'Espagne : *le Nain du cardinal Granvelle**, ministre de Charles Quint et protecteur du peintre.

5e *cabinet.* Il abrite une reconstitution du « studiolo » que le duc Frédéric de Montefeltre s'était fait faire en 1476 dans son palais d'Urbino. Ce cabinet, synthèse de l'influence flamande et du style italien, était décoré de marqueteries en trompe-l'œil et de 28 portraits d'hommes célèbres. Le Louvre possède 14 de ces portraits, attribués au Flamand *Juste de Gand* (vers 1435-vers 1480) et à l'Espagnol *Pedro Berruguete* († 1503), et on les voit ici présentés dans un décor approprié.

6e, 7e et 8e petits cabinets sud (16) : peinture allemande des XVe et XVIe siècles

Les œuvres montrées ici sont de premier ordre.

6e *cabinet.* *Maître de la Sainte Parenté* (connu à Cologne entre 1480 et 1520) : retable des Sept Joies de la Vierge, comprenant la *Présentation au temple***, l'Adoration des Mages, la Vierge trônant près du Christ ressuscité. *Maître de Saint-Séverin* (école de Cologne, 1500-1515) : Présentation au temple. *Maître de Saint-Barthélemy* (Cologne, vers 1490-1500) : Descente de croix.

7e et 8e cabinets. *Albert Dürer* (1471-1528) : *Autoportrait*** (1593) ; il s'agit très probablement du portrait destiné à la fiancée de l'artiste, Dürer tenant dans sa main une ombellifère qui, en allemand populaire, signifie « fidélité conjugale », œuvre de jeunesse dans laquelle on trouve déjà l'insistance du regard et la fermeté du trait propres à Dürer. *Hans Holbein* (1497-1543), divers portraits : Anne de Clèves (vers 1539) ; William Warham (vers 1527) ; *Nicolas Kratzer**(vers 1528) ; *Érasme***, un des plus beaux et le plus célèbre portrait sans doute qui ait été fait du savant humaniste (il a été acquis par Louis XIV, qui le tenait de Jabach). *Hans Baldung Grien* (1484-1536) : le

Cavalier, la Dame et la Mort. *Lucas Cranach le Vieux* (1472-1553) : portrait d'une *Jeune fille**, qui pourrait être Magdalena Luther; Vénus dans un paysage.

Petits cabinets nord (17) : peintures flamande et hollandaise du XVIIe siècle

Ils abritent des peintures de petit et moyen formats (Vermeer).

1er cabinet. On y verra des peintres hollandais influencés par Rembrandt et s'adonnant à la scène de genre. *Gérard Dou* (1613-1675) : *la Femme hydropique* (1663), l'Aiguière d'argent, le Trompette. *Adran Coorte* (connu de 1685 à 1725) : Coquillages. *Gabriel Nicolas Maes* (1634-1693) : la Baignade, œuvre insolite par son sujet. *Gérard Ter Borch* (1617-1681) : le Galant Militaire. *Pieter de Hooch* (1629-1684) : les Joueurs de cartes. *Michel Sweerts* (1624-1664) : le Jeune Homme et l'entremetteuse.

2e cabinet. Johannes Vermeer de Delft (1632-1675). Ce peintre, redécouvert au siècle dernier, aux œuvres rares (une trentaine de tableaux attestés seulement), de petites dimensions, aux sujets sans originalité, sans détails pittoresques ni anecdotes, se déroulant dans un espace clos à l'atmosphère feutrée où règnent calme et silence, a donné de la poésie au réel en jouant de la couleur et de la lumière. Le Louvre conserve deux œuvres : *la Dentellière****, achetée par Napoléon III en 1870, et *l'Astronome****, daté 1668, entré en 1983 par dation en paiement des droits de succession. *Gérard Ter Borch :* Duo, le Concert, la Leçon de lecture. *Gaspar Netscher* (1639-1684) : la Leçon de viole. *Jan Van der Heyden* (1637-1712) : le Henengracht à Amsterdam, le Château des ducs de Bourgogne à Bruxelles. *Nicolas Berchem* (1620-1683) : le Gué. *Adriaen Van Ostade* (1610-1685) : Portrait de famille. *Gabriel Metsu* (1629-1667) : le Déjeuner de harengs, la Riboteuse, la Peleuse de pommes, le Marché aux Herbes d'Amsterdam. *Guerrit Berckeyde* (1638-1698) : la Place du Dam à Amsterdam.

3e cabinet. Les esquisses de *Rubens.* Le *Sacrifice d'Abraham***, *Abraham et Melchisédech***, le *Portement de croix**, sont trois esquisses pour le plafond de l'église des jésuites d'Anvers, dont le décor a entièrement brûlé en 1718. *L'Érection de la croix*** est l'esquisse du grand triptyque de la cathédrale d'Anvers (1610); le Génie couronnant la Religion, celle pour un plafond de Whitehall à Londres (vers 1630); et la Résurrection de Lazare, celle d'une peinture qui était conservée au Kaiser Friedrich Museum de Berlin (détruite en 1945). Philopomène reconnu par une femme âgée, servit à une peinture qui se trouvait dans la galerie du Régent à Paris. Deux esquisses en un seul panneau illustrent la première et la dernière scènes de la série consacrée à l'histoire de Marie de Médicis (salle Médicis) : les Trois Parques filent la destinée de Marie de Médicis et le Triomphe de la Vérité. Les autres esquisses se trouvent à l'Alte Pinakothek de Munich et au musée de l'Ermitage à Leningrad. Le *Paysage au moulin*** est l'un des rares paysages de Rubens. Mars et Vénus est un dépôt permanent de la Fondation de France, donation Salavin-Fournier.

*4e cabinet. **Cornélis Van Poelenburgh*** (1586 ou 1595-1667) vécut de 1617 à 1625 en Italie, où il apprécia la campagne romaine et ses ruines : Baigneuses, le Pâturage, Ruines de la Rome antique avec le château Saint-Ange, Vue du Campo Vaccino. ***Bartolomeus Breenbergh*** (1598/1600-1657) : Jésus guérissant un sourd-muet; exécuté au retour d'Italie (1633), la scène se déroule dans le site de la villa de Mécène à Tivoli. ***Willem Claesz Heda*** (vers 1593-vers 1680) : Nature morte au gobelet d'argent. ***Jacob Van Velsen*** (vers 1600-1656) : la Diseuse de bonne aventure. ***Willem Cornelisz Duyster*** (1599-1635) : les Maraudeurs. ***Pieter Codde*** (1599-1638) : la Leçon de danse, Femme à sa toilette. ***Hendrick Pot*** (vers 1585-1657) : *Charles Ier d'Angleterre**, copie du portrait par Daniel Mytens à Buckingham Palace. ***Frans Post*** (1612-1680) accompagna de 1637 à 1664 le prince Maurice de Nassau-Siegen au Brésil, à l'époque colonie hollandaise, dont il rapporta de nombreuses vues : Port Maurice et le Rio San Francisco, Paysage aux alentours de Porto Calvo. ***Pieter Saenredam*** (1597-1665), très célèbre peintre d'intérieur d'églises, dont le Louvre a acquis une œuvre en 1983 : *Intérieur de Saint-Bavon de Haarlem**.

*5e cabinet. **David Téniers l'Ancien*** (1582-1649) : un Calvaire, inspiré du tableau de Rubens à Rotterdam. ***David Téniers le Jeune*** (1610-1690), fils du précédent, est l'auteur du *Fumeur au tonneau**; Intérieur d'estaminet, de cabaret; Joueurs de boules, de hocquet; le Fils prodigue; les Sept Œuvres de Miséricorde; le Christ mort, petite copie d'une œuvre de Lotto, aujourd'hui perdue, qui se trouvait dans la galerie de l'archiduc Léopold à Bruxelles, dont Téniers était le conservateur. ***Adriaen Brouwer*** (1605-1638) : Paysage au crépuscule, Intérieur de cabaret. ***Joos Van Craesbeck*** (1608-1660) : Autoportrait (?) en fumeur, influencé par Brouwer, auquel on attribuait cette œuvre. ***Adriaen Van Ostade*** (1610-1685) : la Lecture de la gazette, l'Abattage du porc. ***Simon de Vos***

La Kermesse de Rubens : « éblouissante, tourbillonnante, éclatante ».

(1604-1676) : les Œuvres de Miséricorde (acquis en 1982) ; noter l'importance du décor architectural à base de souvenirs italiens.

6e *cabinet. Joos de Momper* (1564-1635) : Paysage. *Paul Brill* (1554-1626) : Marché dans le Campo Vaccino à Rome, le Pêcheur. *Denis Van Alsloot* (vers 1570-vers 1626), considéré comme le fondateur de l'école bruxelloise de paysage : Paysage d'hiver. *Georg Flegel* (1566-1638) : Nature morte au flacon de vin et aux petits poissons (acquis en 1981), œuvre allemande influencée par la peinture flamande, tout comme la Nature morte de *Gothard de Wedig* (1583-1641). *Roelandt Savery* (1576-1639), peintre flamand au service de l'empereur Rodolphe II à Prague : Marche de cavaliers hongrois, Orphée charmant les animaux. *Joachim Wtewael* (1566-1638) : Jupiter et Danae (acquis en 1979). *Ambrosuis Bosschaert le Vieux* (av. 1573-vers 1621) : Bouquet de fleurs dans une arcade (acquis avec la participation de la Société des Amis du Louvre, 1984).

7e *cabinet. Adriaen Van de Venne* (1589-1662) : la Trêve de 1609, représentation allégorique du banquet donné pour la paix de 12 ans établie dans les États du nord et du sud de la Hollande. *Jean Bruegel de Velours*

(1568-1625), second fils de Bruegel l'Ancien : *la Bataille d'Arbèles****, le Banquet des Dieux; l'Air ou Optique, la Terre ou le Paradis terrestre, deux des tableaux de la série des quatre éléments, commandée par le cardinal Federico Boromeo (les deux autres sont à la Bibliothèque Ambrosienne de Milan), les figures étant attribuées à *Hendrick van Balen. Rubens* et *Bruegel :* Guirlande de fleurs entourant la Vierge et l'Enfant (1621), figures par *Rubens,* fleurs par *Bruegel.*

8e cabinet. Hendrick Van Steenwyck le Jeune (vers 1580-vers 1649) : Apparition du Christ à Marthe et Marie. *Frans Francken II le Jeune* (1581-1642) : Ulysse reconnaissant Achille déguisé en femme parmi les filles de Lycomède, Salomon au trésor du Temple, le Fils prodigue. *Bartholomeus Spranger* (1546-1611), peintre maniériste : Allégorie de la Justice.

Salle Van Dyck (14) : peinture flamande du XVIIe siècle

Au XVIIe s., la peinture flamande est entièrement dominée par la grande figure de Pierre Paul Rubens (1577-1640), le peintre le plus baroque de son temps, personnage étonnant, très cultivé, qui assuma à plusieurs reprises des fonctions délicates de diplomate. Il fut sans doute l'honnête homme tel qu'on le rêvait au XVIIe s. Il travailla beaucoup pour la reine Marie de Médicis, aussi le Louvre a-t-il hérité, des collections royales, un nombre très important de ses œuvres : *Adoration des Mages***, qui se trouvait dans la chapelle des Dames de l'Annonciation à Bruxelles; un Tournoi; *la Kermesse****, éblouissante, tourbillonnante, éclatante; la *Fuite de Loth** (voir la copie par ***Delacroix,*** Cour Carrée, deuxième étage, salle 4); *Hélène Fourment* (sa seconde femme) *et leurs deux enfants***; Hélène Fourment au carrosse (acquis en 1977 par dation en paiement des droits de succession); Vierge des Innocents. ***Antoine Van Dyck*** (1599-1641) fut un maître du portrait et peintre officiel de la cour d'Angleterre à ce titre : *Charles Ier roi d'Angleterre*** (noter dans ce portrait, le plus célèbre de l'auteur, l'absence d'attribut royal); la *Marquise Géronima Spinola Doria**; les Ducs de Bavière et de Cumberland; Gentilhomme à l'épée; portraits d'un Homme et son enfant, d'une Dame et sa fille, d'Isabelle-Claire-Eugénie d'Autriche, du comte d'Osuna; *Vénus demande des armes à Vulcain pour Énée**; *Renaud et Armide**; Vierge aux Donateurs. ***Jacob Jordaens*** (1593-1678), maître d'un baroque généreux : le Roi boit, *Jupiter et Amalthée**, le Repos de Diane (don de la Société des Amis du Louvre, 1982), Jésus chassant les marchands du Temple, les *Quatre Évangélistes***, l'Adoration des Bergers (acquis en 1981).

Dans cette salle également, des natures mortes de ***Snyders*** (1579-1667) et de ***Jan Fyt*** (1611-1661).

Galerie Médicis (15)

Cette vaste salle, longue de 45 m, large de 15 m et haute de 13 m, est consacrée à l'*Histoire de Marie de Médicis**** par ***Rubens.*** Commandée au peintre en 1621 pour le palais du Luxembourg, cette magnifique suite fut exécutée par le maître à Anvers, avec l'aide de ses élèves, et terminée par lui à Paris en 1625. Ces 21 tableaux, auxquels s'ajoutaient trois portraits (Marie de Médicis, son père et sa mère), ornaient la galerie O. au premier étage du palais et y demeurèrent jusqu'en 1778. En 1803, ils furent réinstallés dans la galerie E. du Luxembourg, puis transférés après 1815 au Louvre, où les toiles furent alignées côte à côte sur les murs de la Grande Galerie. De 1900 à 1939, 18 des 21 tableaux, classés dans un ordre arbitraire, occupèrent la salle actuelle aménagée par G. Redon, avec la décoration surchargée de l'époque. Depuis 1953, cette admirable série, reclassée dans l'ordre initial et chronologique, est présentée dans une salle entièrement rénovée. Dans des cadres noirs et or, spécialement dessinés pour rappeler les bordures qu'on voit aux tableaux du XVIIe s. dans les églises d'Anvers, les 19 grandes compositions sont mises en valeur sur un fond de velours rouge, tandis que les inscriptions sont gravées en lettres d'or sur un soubassement de marbre gris. Seuls deux panneaux étroits ont été placés en dehors de la salle, de part et d'autre de l'entrée : à g., les Trois Parques filent la destinée de Marie de Médicis ; à dr., le Triomphe de la Vérité. La succession des grands tableaux est la suivante : 1. la Naissance de Marie de Médicis, 26 avril 1575 ; 2. l'Éducation de Marie de Médicis ; 3. Présentation du portrait de Marie de Médicis à Henri IV ; 4. le Mariage par procuration à Florence, 5 octobre 1600 ; 5. le Débarquement de Marie de Médicis à Marseille, 3 novembre 1600 ; 6. Première entrevue du Roi et de Marie de Médicis à Lyon, 9 décembre 1600 ; 7. Naissance de Louis XIII à Fontainebleau, 27 septembre 1601 ; 8. Henri IV confie la régence à la reine, 1610 ; 9. le Couronnement de la reine à Saint-Denis, 13 mai 1610 ; 10. l'Apothéose du roi Henri IV et la Régence *(au fond de la salle)* ; 11. le Gouvernement de la reine ; 12. la Prise de Juliers, 1610 ; 13. l'Échange des princesses à Hendaye, 9 novembre 1615 ; 14. la Félicité de la Régence ; 15. la Majorité de Louis XIII, 20 octobre 1614 ; 16. la Reine s'enfuit du château de Blois, 21 février 1619 ; 17. la Reine reçoit des offres de paix ; 18. la Conclusion de la paix, 30 avril 1619 ; 19. la Réconciliation de Marie de Médicis et de son fils, 5 septembre 1619.

Salle des Sept-Mètres (12) : peinture hollandaise du XVIIe siècle

L'école hollandaise est représentée dans toute sa diversité. Pendant presque tout le XVIIe s., les artistes des Pays-Bas du Nord ont atteint la perfection dans tous les genres. Les peintres ont su varier à l'infini le motif monotone du paysage hollandais en traduisant les subtils rapports de l'eau et du ciel. Les portraits d'hommes et de femmes, et les scènes de genre, sont une chronique de la vie quotidienne d'un peuple industrieux, patient, amateur de divertissements, de bonne chère, de conversation et de musique. Les natures mortes témoignent du même goût pour les choses de ce monde, en même temps que d'une grande science des valeurs picturales. Rembrandt est la grande figure de cette époque, par son art des ombres, son sens de l'humain et du sacré et son intense connaissance de la nature humaine.

Première travée. ***Cornélis de Haarlem*** (1562-1638) : le Baptême du Christ (1588), exemple du style maniériste hollandais, comme Persée délivrant Andromède, de ***Joachim Wtewael*** (1566-1638), un peu plus tardif (deux dons de la Société des Amis du Louvre, en 1983 et 1982). ***Frans Hals*** (1580-1666) : portraits de *Paulus von Berensteyn* et de son épouse *Catherine Both van Eem***; *la Bohémienne***, *le Bouffon** (acquis en 1984), deux œuvres à la facture libre, à la vitalité et à la spontanéité qui en font non seulement des chefs-d'œuvre de la peinture hollandaise, mais également les joyaux du Louvre. ***Salomon Van Ruysdael*** (1600-1670) : le Bac, le Débarcadère. ***Jan Van Goyen*** (1596-1656) : Vue de Dordrecht, la Côte d'Egmont.

Deuxième travée. ***Gérard von Honthorst*** (1590-1656) : le Concert; ***Jan Davidsz de Heem*** (1600-1684) : le Dessert (1640). Deux grandes compositions baroques.

Troisième travée. ***Rembrandt van Rijn*** (1606-1669). Le Louvre possède un ensemble exceptionnel de 15 tableaux sûrs, dont certains comptent parmi les plus célèbres de l'artiste. Son art des ombres, son sens de l'humain et du sacré, son intense connaissance de la nature humaine en font un génie tout à fait à part. La collection du Louvre permet de suivre l'évolution de son style et d'aborder tous les genres auxquels l'artiste s'est adonné : portraits d'Albert Cuypers et de son épouse Cornélia Pronck, de Titus, son fils, d'Henrickje Stoffels, sa seconde épouse; *Autoportraits à la chaîne d'or****, tête nue, à la toque, *devant un chevalet***. Scènes bibliques : *Bethsabée**** (1654), pour laquelle Henrickje Stoffels a posé; l'Ange Raphaël guidant Tobie (1637). Scènes religieuses : Sainte Famille (ou le Ménage du menuisier, 1640), *les Pèlerins d'Emmaüs*** (1648), *Saint Matthieu et l'Ange*** (1661). Scènes de genre : *le Philosophe en méditation** (1632). Nature morte : *le Bœuf écorché*** (1655). Paysage : *le Château au crépuscule**.

Quatrième travée. ***Govaert Flinck*** (1615-1660) : l'Annonce aux Bergers, dont la composition s'inspire de la gravure de Rembrandt. ***Bartholomeus Van der Helst*** (1613-1670) : la Famille Reepmaker, Jeune Femme dévoilée soulevant une draperie, 1658 (don de la Société des Amis du Louvre, 1984).

Cinquième travée. Paysages de ***Jacob Van Ruysdael*** (1628-1682), neveu et élève de Salomon : le Buisson, Coup de soleil. ***Philippe Wouvermann*** (1619-1668) : Paysage à la charrette, Halte du cavalier. ***Adam Pynacker*** (1622-1673) : Paysage au soleil couchant, Paysage montagneux avec chèvre et oiseaux

Rembrandt : autoportrait à la chaîne d'or. «Un génie tout à fait à part».

(acquis en 1980). ***Karel Dujardin*** (1622-1678) : Charlatans italiens. ***Jan Van der Heyden*** (1637-1712) : l'Hôtel de Ville d'Amsterdam. ***Nicolas Berchem*** (1620-1683) : Paysage avec animaux. Scènes de genre de ***Pieter de Hooch*** (1629-1684) : la Buveuse, *Intérieur de la maison hollandaise***. ***Gérard Dou*** (1613-1675) : la Lecture de la Bible, le Peseur d'or, la Ménagère hollandaise, l'Épicière du village. Œuvres de ***Frans Van Mieris*** et de ***Gabriel Metsu*** (1630-1680). ***Salomon Van Ruysdael :*** *Nature morte au dindon*** (1661), une des plus belles natures mortes peintes par l'artiste à la fin de sa vie (acquis en 1965).

CABINET DES DESSINS

Conservateur en chef : Mme Roseline Bacou. Aile de Flore, accès par la porte de Flore ou la porte Jaujard.

Le cabinet des Dessins du Louvre, qui possède 105 000 dessins, est le plus riche du monde, avec l'Albertina de Vienne. Il a pour origine l'achat par Colbert de la collection Jabach et a été enrichi par les premiers peintres du Roi (Le Brun, Mignard, A. Coypel), dont les collections revenaient de droit à la couronne, ainsi que par des achats et d'importantes donations. Toutes les écoles sont représentées, particulièrement l'école italienne (XIVe-XVIIIe s.) et l'école française (XVIe-XIXe s.).

Collection Edmond de Rothschild : le fonds du cabinet qui porte ce nom, aménagé en 1960 dans l'aile de Flore, est constitué par les 30 000 gravures et les 3 000 dessins légués à l'État par le baron Edmond de Rothschild. Le cabinet comprend une salle de consultation, accessible aux seuls spécialistes agréés par le conservateur, et une galerie où sont organisées des expositions temporaires, destinées au grand public.

DÉPARTEMENT DES OBJETS D'ART

Conservateur en chef : M. Daniel Alcouffe. Accès : porte Denon.

Outre la galerie d'Apollon, le département occupe, au premier étage, les ailes E. et N. de la Cour Carrée et la moitié de l'aile O., où les salles sont installées par ordre chronologique en commençant à l'escalier Percier.

Le département des Objets d'art conserve un ensemble de mobilier et d'objets d'art de toutes techniques, de l'Antiquité à la première moitié du XIXe s. Le noyau en est formé par les anciennes collections royales. Les collections réunies par Charles V (1360-1380), comme celles de François Ier (1514-1547), furent dispersées par leurs successeurs. C'est à Louis XIV qu'il appartint de reconstituer les collections royales par l'acquisition presque en bloc de la collection du cardinal Mazarin. Le Grand Dauphin, son fils, collectionna les pierres dures. À sa mort, une partie alla au nouveau roi d'Espagne, Philippe V; le reste s'intégra aux collections royales. Elles demeurèrent intactes jusqu'à la Révolution. C'est alors que des bijoux furent volés en 1792 et des objets dispersés, puis des tapisseries et des coupes montées furent aliénées par le Directoire pour payer ses fournisseurs. Les anciennes collections royales, les trésors de Saint-Denis, avec les Regalia et de l'ordre du Saint-Esprit constituèrent le premier noyau du département des Objets d'art, augmenté des donations et legs – Durand (1825), Revoil (1828), Sauvageot (1856) –, et l'achat de la collection Campana par Napoléon III en 1861.

SALLES DE LA COLONNADE

Salle (1)

Les parties anciennes des *boiseries** et le *plafond à caissons** proviennent du Cabinet du Conseil du pavillon de la Reine à Vincennes (1654-1658). Les quatre manteaux et les objets

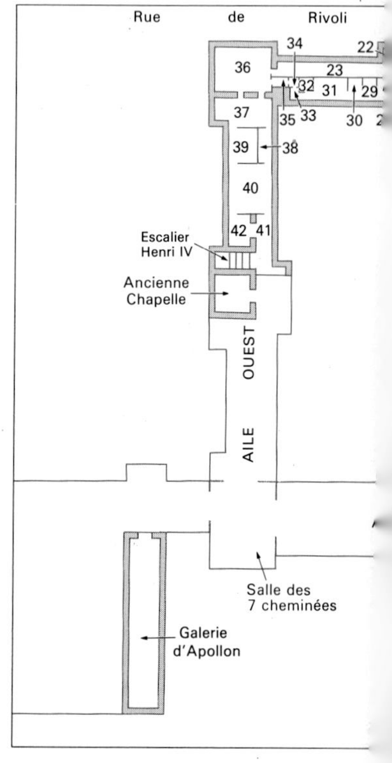

Département des Objets d'art /

1, 2, 3 Les boiseries
4 Salle romane
5 Salle gothique
6 Salle des bronzes de la Renaissance
7 Salle des majoliques
8 Salle Sauvageot
9 Salle Henri IV
10 Salle des montres
11 Salles des bronzes de Jean de Bologne
12 Salle d'Effiat
13, 14 Salle André Charles Boulle
15 Rotonde David Weill et galerie Niarchos
16 Salle Cressent
17 Rotonde des Saisons
18 Faïences de Rouen
19 Faïences de Marseille, Niderviller, Moustiers, Sincery et Sceaux

exposés dans la vitrine évoquent l'ordre du Saint-Esprit, fondé en 1578 par Henri III.

Salle (2)

Dans cette salle furent montées les *boiseries de la chambre des Rois de France** au Louvre, dont les éléments les plus anciens datent de Henri II

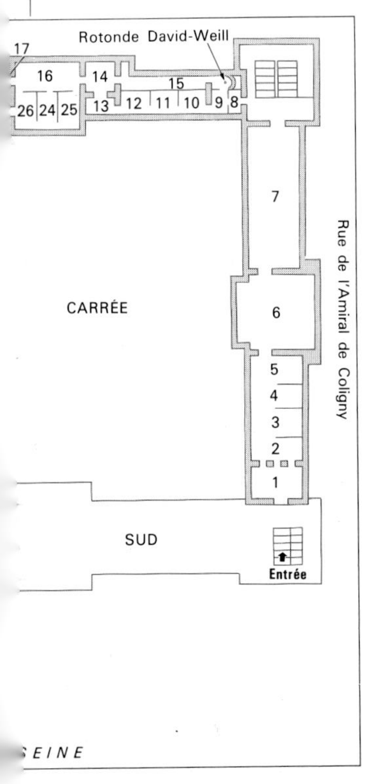

Salles de la Colonnade

20 Cabinet des porcelaines
21 Salle Bérain
22 Salle Landau
23 Galerie des tabatières
24, 25, 26 Salles Louis XV
27 Salle Schlichting
28 Salle Oeben
29 Salon Condé
30 Cabinet Louis XVI
31 Salle Lebaudy
32 Cabinet chinois
33, 34, 35 Cabinets Marie-Antoinette
36 Salle Camondo
37 Salle Claude Ott
38 Salle Restauration
39 Salle Louis-Philippe
40, 41 Collections Thiers

et de Henri IV. L'état actuel des boiseries (non la disposition) est celui de 1654, lorsque *Le Vau* donna les dessins pour le remaniement de la chambre (pour le jeune Louis XIV). Dans les vitrines sont installées des armures et armes de parade, dont des rondaches de parement (Italie du Nord, *entourage de Jules Romain,* milieu du XVIe s.), et l'armure de Henri II (France, milieu du XVIe s.).

Salle (3)
Les plafonds, lambris et portes de la chambre de parade des Rois de France proviennent du pavillon du Roi au Louvre. Le plafond est l'œuvre de *Scibec de Carpi* (1558), sur des dessins de *P. Lescot;* le *guéridon** en bois doré, à plateau de porphyre, provient des anciennes collections royales, comme le Jupiter foudroyant les Titans attribué à *l'Algarde* (première moitié du XVIIe s.); les tapisseries des Gobelins (fin XVIIe-début XVIIIe s.) illustrent les Sujets de la Fable, d'après *Raphaël* et *Jules Romain.*

Salle romane (4)
Les deux colonnes de porphyre (IVe s.) proviennent de l'ancienne basilique Saint-Pierre de Rome.

Vitrine 1, art paléochrétien : bijoux, ivoires sculptés, pyxides, *diptyque* impérial *dit Barberini**, *diptyque d'Areobindus** (VIe s.). Vitrine 2, art byzantin : *triptyque Harbaville** (milieu du Xe s.), coffret aux scènes de l'histoire d'Hercule (Xe s.), couvercle du reliquaire du Saint-Sépulcre (XIIe s.). Vitrine 3, art carolingien : coffret aux scènes de la vie du Christ (IXe s.). Vitrine 4, art mosan et rhénan : reliquaire de saint Henri (Saxe, seconde moitié du XIIe s.), autel portatif d'Ipplendorf (fin du XIe s.) et exemples de l'émaillerie mosane (XIIe s.), tels que l'*armilla** attribuée à *Nicolas de Verdun.* Vitrine 5, art de l'Italie du Sud des Xe et XIe s. : olifant en ivoire. La vitrine 6 présente l'émaillerie limousine du XIIe s. et des ivoires : crosses, figures d'applique. Vitrine centrale : elle renferme la célèbre *statuette dite de Charlemagne* (IXe s.), des plaques d'ivoires sculptés ou d'émaux mosans du XIIe s. et le *reliquaire du bras de Charlemagne**, provenant d'Aix-la-Chapelle (Liège, vers 1166-1170). Une vitrine est consacrée à la châsse de saint Potentin (XIIIe s.). Vitrine double face : le ciboire du *Maître G. Alpais* (Limoges, XIIe s.) introduit à la salle gothique.

Salle gothique (5)
Dans cette salle est réuni un nombre important de chefs-d'œuvre d'orfèvrerie et d'émaillerie.

Dans les vitrines murales, divers exemples de l'émaillerie limousine du XIIIe s. sont rassemblés : plaques de reliure, crosses, châsse de sainte Valérie, la cassette de Saint Louis (Limoges, fin XIIIe s.). Des ivoires : le Couronnement de la Vierge (XIIIe s.), diptyques en ivoire du XIVe s. Deux valves de miroir en émail translucide (Paris, avant 1379). Divers éléments d'orfèvrerie médiévale : coupe provenant du trésor de Gaillon et gobelets d'argent. Exemples de glyptique médiévale : coupes en jaspe (ayant appartenu à Laurent de Médicis), aiguière en cristal de roche (XIVe s.). Au centre de la salle : *Vierge à l'Enfant***, un des plus importants ivoires (XIIIe s.), provenant du trésor de la Sainte-Chapelle ; Descente de croix et Prophète (XIIIe s.) ; couronne-reliquaire (vers 1260) et triptyque de Floreffe (XIIIe s.) ; *bras-reliquaires de saint Louis de Toulouse et de saint Luc*** (XIVe s.) ; ces objets comptent parmi les chefs-d'œuvre de l'art gothique. Grand *retable** en bois et os, des *Embriachi* (provenant de Poissy), relatant les vies du Christ, de saint Jean Baptiste et de saint Jean l'Évangéliste (Italie, vers 1400). Aux murs, tapisseries : tenture de Saint Anatole de Salins (Bruges, 1501-1506).

*Salle des bronzes de la Renaissance** (6)*
Côté des fenêtres : deux bas-reliefs en bronze, par *Andrea Riccio* (Padoue, 1470-1532) ; bronzes italiens : statuettes, animaux (XVIe s.) ; deux armoires Renaissance (France, XVIe s.) ; Gnôme à l'escargot, bronze (Padoue, fin XVe s.) ; huit bas-reliefs en bronze, par *Riccio,* provenant du tombeau de Marc-Antoine della Torre ; médailles italiennes et françaises (le chancelier de Birague, attribuée à

À ne pas manquer

Salles de la Colonnade
Ivoires sculptés paléochrétiens et carolingiens (salle 4); statuette dite de Charlemagne (salle 4); Vierge à l'Enfant de la Sainte-Chapelle (salle 5); bras-reliquaire de saint Louis de Toulouse et de saint Luc (salle 5); tenture des Chasses de Maximilien (salle 7); émaux et majoliques italiens (salle 7); orfèvrerie, XVIe s.-XVIIIe s. (salle 15); meubles de A.C. Boulle (salles 13, 14); meubles de Cressent (salle 16); porcelaine du XVIIIe s. (salle 20).
Galerie d'Apollon
Collection de gemmes de la Couronne; joyaux de la Couronne, dont le célèbre Régent; vase en porphyre du trésor de Saint-Denis.

G. Pilon). Au centre : le *Tireur d'épine**, fonte d'après l'antique (Rome, 1540). À dr., vitrine de bronzes de Padoue et Florence (XVe-XVIe s.), parmi lesquels : Saint Jérôme et David, par *Bellano;* l'Amour pleurant, attribué à *Verrocchio;* Saint Jean Baptiste, par un élève de Donatello; Saint Jean Baptiste enfant; Amour musicien, attribué à *Donatello;* médailles et plaquettes (Italie, XVe-XVIe s.). À g., bronzes de *Riccio** (Padoue, début XVIe s.); médailles et plaquettes d'Italie du Nord, France, Bourgogne, Allemagne, Flandre, dont le sceau du cardinal Innocenzo Cibo, attribué à *Cellini* (Rome, vers 1525); bronzes de Padoue et d'Italie du Nord (XVe-XVIe s.).

Mobilier : mobilier français et italien des XVe et XVIe s., dont un coffre en cyprès à décor de scènes courtoises (Italie du Nord, XVe s.); une armoire ornée de trois termes, attribuée à *Hugues Sambin* (Bourgogne, seconde moitié du XVIe s.); une porte à l'emblème de François Ier, la salamandre; un coffre orné de médaillons avec profils (première moitié du XVIe s.), et la chaire des archevêques de Vienne (fin du XVIe s.).

Tapisserie : la Chute de Phaéton, d'après *Battista Dosso* (Ferrare, vers 1545); deux pièces de la tenture de Scipion d'après *Jules Romain* (Gobelins, XVIIe s.) et une pièce de l'Histoire de saint Mammès (Paris, 1544).

▶ Dans le passage, vitraux (XVIe et XVIIe s.).

Faïences et porcelaines

La faïence : terre argileuse opaque recouverte d'un émail stannifère qui, à la cuisson, devient blanc; le décor de la faïence est soit bleu (oxyde de cobalt), soit polychrome. La faïence apparaît en France au XVIe s.

La majolique : faïence hispano-moresque (XIVe-XVe s.) et italienne de la Renaissance. Les faïences de Lyon et de Nevers du XVIe s. portent aussi le nom de majolique.

La porcelaine tendre : céramique d'un blanc ivoiré, translucide, rayable à l'acier, constitué d'un mélange de terres (fritte) qui, concassées et épurées, forment la pâte de porcelaine, laquelle est recouverte d'un vernis plombifère (translucide). C'est la matière des porcelaines Médicis (fin XVIe s.) et française de la première moitié du XVIIIe s., en particulier de Vincennes et de Sèvres.

La porcelaine dure : céramique blanche, translucide, non rayable à l'acier, à base de kaolin, feldspath et quartz. Les porcelaines de Saxe, Paris, Limoges sont des porcelaines dures. La porcelaine dure apparaît en Europe en 1709-1710 (en Saxe).

Le Tireur d'Épine, un charmant sujet alexandrin, maintes fois repris.

Salle des majoliques (7)

Tenture des *Chasses de Maximilien****, dont les cartons sont attribués à *Bernard Van Orley* (Bruxelles, vers 1530), provenant des collections de Mazarin et Louis XIV.

Paroi S. : trois panneaux de marqueterie attribués à *Fra Vicenzo* de Vérone (vers 1500) ; quatre médaillons en céramique attribués à *Girolamo Della Robbia,* provenant du château de Saint-Germain-en-Laye (milieu XVIe s.) ; au centre, coffre à grands bustes (France, vers 1530), sur deux marches ornées de carreaux de pavage provenant du palais d'Isabelle d'Este à Mantoue (vers 1500), du palais Petrucci à Sienne (1509) et de San Giovanni a Carbonara à Naples (vers 1450).

Les vitrines centrales renferment une incomparable collections d'*émaux*** italiens et surtout limousins, œuvres de l'*école de Pénicaud,* du *Maître de l'Énéide,* de *Léonard Limousin* (première moitié du XVIe s.), *Pierre Reymond, Pierre Courteys, Suzanne de Court* et des *Noailher.*

Paroi N. : à g., coffre sur une marche ornée de carreaux de pavage de *Masséot Abasquesne* (Rouen, milieu XVIe s.), provenant de la Bâtie d'Urfé (1557). À dr., vitrine de statuettes de l'*école d'Avon* (première moitié du XVIIe s.).

Les vitrines murales renferment une collection de *majoliques hispano-moresques****, italiennes et françaises. Côté Cour Carrée : Toscane et Orvieto (XIVe et XVe s.); Espagne (Andalousie, Aragon, Valence, XIVe, XVe s.); France : œuvres de ***Bernard Palissy*** et son école, majolique de Lyon (XVIe s.) et de Nevers (XVIe et XVIIe s.). Côté Colonnade : remarquable ensemble de majoliques italiennes de Faenza, Caffaggiolo, Casteldurante, Deruta, Gubbio, Urbino, Venise (XVe-XVIe s.) et Castelli (XVIIe s.). Pièces de différents services princiers : Isabelle d'Este (Casteldurante, vers 1520), Alphonse II d'Este (Urbino, vers 1580). Au centre de la salle, deux ensembles rares et précieux : *pièces en terre de Saint-Porchaire** (milieu du XVIe s.) et porcelaine Médicis, première porcelaine européenne exécutée à Florence vers 1580.

▸ *Palier :* entrée de l'aile N. de la Cour Carrée ; mobilier et objets d'art du XVIIe au XIXe s.

Salle Sauvageot (8)

Collection de verres d'origines diverses : France, Italie, Allemagne, Bohême, du XVIe au XVIIIe s.

Salle Henri IV (9)

Mobilier de la première moitié du XVIIe s. : chaises appelées caquetoires, stalles provenant de Saint-Étienne de Toulouse (1610-1612). Tapisseries de Paris : Histoire de Renaud et Armide, d'après ***Simon Vouet,*** et les Placets, de l'Histoire d'Artémise, d'après ***Antoine Caron*** (début XVIIe s.). Bronzes : Singe attribué à ***Jean de Bologne*** (Florence, vers 1570); *Henri IV et Marie de Médicis** en Jupiter et Junon, par ***Barthélemy Prieur*** (vers 1608).

▸ Prendre la porte conduisant à la collection d'orfèvrerie.

Rotonde David Weill et galerie Niarchos*** (15)

Ces salles portent les noms des deux donateurs qui ont fait de la collection d'orfèvrerie du Louvre une des premières du monde.

La rotonde regroupe un ensemble d'orfèvrerie princière des XVIe et XVIIe s. : plat en vermeil (Paris, XVIe s.); *coffret d'or***, dit d'Anne d'Autriche (milieu XVIIe s.); miroir d'Anne Hyde, duchesse d'York (1600); casque et bouclier de Charles IX (vers 1570); bassin en argent décoré d'animaux et de plantes par ***Wenzel Jammitzer*** (Nuremberg, vers 1550).

Dans la galerie, qui offre un panorama somptueux de l'orfèvrerie française des XVIIe et XVIIIe s., *surtout de table des princes de Condé*** (1736), par ***J. Röettiers;*** surtout de Joseph Ier, roi de Portugal, par ***Fr.-Th. Germain*** (1758), et du même orfèvre, chapelle du duc de Bourgogne; *nécessaire en vermeil* de Marie Leczinska (1729); éléments de service commandés par l'impératrice Catherine II de Russie (fin XVIIIe s.). Statuettes en biscuit de Sèvres du XVIIIe s. (Pygmalion et Galatée, d'après ***Falconet,*** 1763). ▸ On revient sur ses pas jusqu'à la salle Henri IV (9).

Salle des montres (10)

Au-dessous de tapisseries des Gobelins (fin XVIIe s.) illustrant l'Histoire de Moïse, d'après ***N. Poussin,*** sont installées les collections de bijoux et de montres : bijoux, médaillons (dans la vitrine 1) et collection de montres provenant principalement des dons Garnier et Olivier, en émail, or, pierres précieuses, du XVIIe au XIXe s. Deux vitrines sont consacrées aux horloges de table des XVIe et XVIIe s.

Salle des bronzes de Jean de Bologne (11)

Tapisseries d'après ***Simon Vouet :*** Moïse sauvé des eaux (Paris, 1630); Renaud dans les bras d'Armide, et Mars et Vénus (Paris ou Amiens, XVIIe s.). Collection de *bronzes français et italiens des XVIe et XVIIe s.*** : Morgante (Florence, XVIe s.); œuvres de ***Jean de Bologne :*** *Enlèvement de Déjanire*** (Florence, fin XVIe s.), et de son atelier : Enlèvement de Déjanire, Travaux d'Hercule. Réduction de statues de ***Michel-Ange :*** le Jour et la Nuit, et l'Aurore et le Crépuscule (Italie, fin XVIe s.). Apollon et Daphné, de ***Foggini*** (fin XVIIe-début XVIIIe s.). Vénus fouettant l'Amour, de ***Susini*** (XVIIe s.).

Salle d'Effiat (12)

Tapisseries de l'Histoire de Scipion, d'après ***Jules Romain*** (manufacture des Gobelins, fin XVIIe s.), et tapis de la Savonnerie (1668). Dans la vitrine : collection de faïences de Nevers (XVIIe s.). Tulipière en faïence de Delft (seconde moitié du XVIIe s.). *Lit et fauteuils du château d'Effiat** (milieu XVIIe s.); bureau à huit pieds à marqueterie d'étain (milieu XVIIe s.); paire de cabinets en laque du Japon; cabinet d'ébène (Paris, première moitié du XVIIe s.).

Salles André Charles Boulle (13, 14)

Deux salles sont consacrées à l'art du siècle de Louis XIV. *Armoires, cabinets, bureaux, bibliothèques basses**** illustrent l'art somptueux d'***André Charles Boulle*** (1642-1732).

Salle 13 : tapisseries des Mois arabesques (Apollon, Gobelins, 1697); bronzes français du XVIIe s. Salle 14 : tapisseries du XVIIe s. et du début du XVIIIe s.; tapis de la Savonnerie exécuté pour la galerie d'Apollon du Louvre (1667). Bureau plat, *bureau de Max-Emmanuel de Bavière**** et armoires attribuées à ***André Charles Boulle;*** consoles en bois doré.

Salle Cressent (16)

*Œuvres*** de l'ébéniste ***Cressent :*** bureau plat, armoires et commode au singe. Ensemble de sièges du XVIIIe s. Porcelaines orientales montées et grands vases de la Compagnie des Indes aux armes du duc d'Orléans. ▸ *Rotonde des Saisons* (17) : quatre termes représentant les Saisons, faïence de Rouen (milieu du XVIIIe s.). ▸ *Salles 18 et 19 :* ensemble de faïences de Rouen (18) et de Marseille, Niderviller, Moustiers, Sinceny et Sceaux (19). ▸ *Cabinet des Porcelaines (20) :* dans des boiseries du XVIIIe s., collection de porcelaines de Vincennes et de Sèvres du XVIIIe s.; vaisseau à mât et paire de bras de lumière ayant appartenu à Mme de Pompadour. ▸ *Salle Bérain (21) :* tapisseries à fond tabac et décor de grotesques, d'après ***Bérain*** (Beauvais, vers 1730); tables en vernis Martin (XVIIIe s.). ▸ *Salle Landau (22) :* cette salle est consacrée à la *collection d'instruments scientifiques**, legs de l'amateur Nicolas Landau au Louvre en 1979. ▸ *Galerie des Tabatières (23) :* cette galerie, originellement occupée par la collection de tabatières et d'étuis, l'est aujourd'hui par des ivoires (éléments de frise par ***Van Obstal,*** XVIIe s.); des pièces d'écaille piquée d'ambre, de pierres dures et d'orfèvrerie; des couverts et tasses à vin du XVIe au XVIIIe s.

▸ On revient sur ses pas pour entrer dans la salle 24. ▸ *Grande salle Louis XV (24) :* table provenant de l'hôtel des Invalides; sièges de ***Boucault;*** commode en laque de Coromandel. ▸ *Deuxième salle Louis XV (25), mobilier* : commode en laque de Marie Leczinska* à Fontainebleau, par B.V.R.B. (1737), table à écrire de ***Joubert*** livrée pour Marie-Antoinette Dauphine (1770) et petit bureau de dame de B. V. R. B. (vers 1750). Tapisseries des Gobelins. ▸ *Troisième salle Louis XV (26),* tapisseries des Gobelins : Alceste et Rodogune, d'après ***Ch. Coypel*** et ***J.-B. Oudry;*** mobilier : bureau en laque dit de Choiseul, par ***J. Dubois;*** encoignure en vernis Martin blanc et bleu et bronzes argentés (1743). Réduction de la statue de Louis XV à Rennes, d'après ***J.-B. Lemoyne.*** ▸ *Salle Schlichting** (27) :* fauteuils de ***Louis Delanois*** et bureau en bois de rose de ***J. Dubois*** et ***Pierre II Migeon*** (vers 1750); feu à cassolette, par ***Fr.-Th. Germain*** (1757); tapisseries des Gobelins (Mois Lucas, XVIIIe s.).

*Salle Oeben** (28)*

Consacrée au célèbre ébéniste ***Oeben,*** auteur du bureau de Louis XV aujourd'hui à Versailles, elle regroupe un certain nombre de ses œuvres : secrétaire et chiffonnier, bureau plat, table mécanique et meuble mécanique dit *table à la Bourgogne**. Écran par ***Delanois,*** peut-être pour Mme du Barry (vers 1770). Tapisseries des Gobelins : Scènes d'opéra, de tragédie et de comédie. ▸ *Salon Condé (29) :* il regroupe un ensemble de meubles de style Transition d'origine princière (comte d'Artois, prince de Condé) : commode par ***Leleu*** (1772); canapé et fauteuils par ***N. Heurtaut.*** Ensemble de vases de marbre, montés en bronze doré (fin du XVIIIe s.). *Vases de Sèvres** dans la vitrine murale. ▸ *Cabinet Louis XVI (30) :* les différents *meubles** provenant des appartements royaux sous Louis XVI ont été réalisés par les grands représentants de ce style tout à la fois élégant et majestueux : ***Riesener, Benneman*** (ébénistes), ***Boulard*** et ***Sené*** (menuisiers). ▸ *Salle Lebaudy (31) :* elle présente, dans les boiseries de l'hôtel de Luynes (vers 1770-1775), du *mobilier*** ayant appartenu au roi Louis XVI (commode, par ***Benneman***) et à la reine Marie-Antoinette (fauteuils, par ***Sené,*** pour la Chambre de la reine à Saint-Cloud; bureau à cylindre, par ***Riesener).*** Vases en porcelaine de Sèvres dans la vitrine murale. ▸ *Cabinet chinois (32) :* au mur, papier peint à décor chinois (fin XVIIIe s.). Les *meubles** de provenance royale illustrent le goût des chinoiseries et des laques du XVIIIe s. : mobilier par ***Martin Carlin,*** pour Mesdames, fille de Louis XV, à Bellevue; table à écrire de Marie-Antoinette par ***Weisweiler*** (1784). Vases en porcelaine de Sèvres dans la vitrine murale. ▸ *Cabinets Marie-Antoinette (33 à 35).* Premier cabinet : meubles en acajou moiré; dans une vitrine, *service de George III d'Angleterre** par ***R.-J. Auguste*** (fin XVIIIe s.). Deuxième cabinet : buste de la reine en biscuit de Sèvres. Troisième cabinet : objets ayant appartenu à la reine, dont le nécessaire de voyage et sa *collection d'objets précieux***. ▸ *Salle Camondo (36) :* autour d'un monumental vase en porcelaine de Sèvres (bronzes par ***Thomire,*** 1784), mobilier et pendules d'époque Louis XVI, dont le *guéridon en porcelaine de Sèvres*** de Mme Du Barry. Dans une niche : orfèvrerie ayant appartenu à l'empereur Napoléon Ier. ▸ *Salle Claude Ott (37) :* mobilier, orfèvrerie et porcelaines de la période Empire, dont l'*armoire à bijoux de l'impératrice Joséphine**** (par ***Jacob Desmalter,*** 1809), le service à thé (Biennais) et le service à café (Sèvres) de Napoléon; toilette en cristal et bronze doré de la duchesse de Berry, 1819. ▸ *Salle Restauration (38) :* elle renferme le lit de Charles X aux Tuileries (1825). ▸ *Salle Louis-Philippe (39).* Présentation de meubles et d'objets Louis-Philippe (1830-1848) : bas de bibliothèques et sièges exécutés pour les Tuileries. Dans les vitrines, importante *collection d'orfè-*

*vrerie*** : fontaine à thé d'*Odiot,* vases de *Vechte,* coupe de *Froment-Meurice.* ▸ *Collection Thiers (40-41) :* bronzes de la Renaissance et porcelaines du XVIIIe s.

GALERIE D'APOLLON

Située au premier étage, on y accède par l'escalier Daru, principal escalier du musée. Sur le palier intermédiaire (Victoire de Samothrace) s'amorce de part et d'autre une double volée accédant vers la dr. au département des Peintures et vers la g. au vestibule de la galerie d'Apollon : peinture de la coupole par Blondel, Mauzaisse et Couder; pavement par Belloni.

La galerie d'Apollon, une des plus belles qui soient par ses dimensions (longueur 61,39 m, largeur 9,46 m, hauteur 11 m) et par sa décoration intérieure, occupe le premier étage de la Petite Galerie. Construite sous Henri IV, incendiée en 1661 et reconstruite au temps de Louis XIV sous la direction de Le Brun, elle abrite une partie du département des Objets d'art (décors → palais du Louvre).

▸ À l'entrée, grilles de ferronnerie exécutées vers 1650 pour le château de Maisons-Laffite. Collections : *table en mosaïque** exécutée au XVIIe s. à Florence, provenant du château de Richelieu; pied sculpté au XIXe s. (style Louis XIV).

Les vitrines

Elles renferment l'extraordinaire collection de *gemmes de la Couronne**** constituée par Louis XIV.

Vitrine 1. Agates et sardoines, dont certaines antiques.

Vitrine 2. Gemmes médiévales (cristal de roche, jaspe).

Vitrine 3. Cristaux de roche des collections de la Couronne, dont un calice musulman du Xe ou XIe s.; la plupart des autres pièces ont été gravées dans des ateliers d'Italie du Nord au XVIe s. On remarquera le vase sur lequel figure Noé travaillant la vigne (estimé cent mille livres en 1791) et l'urne représentant Judith et Suzanne; échiquier (XIVe s.).

Vitrine 4. Couronne dite de Charlemagne, créée pour le sacre de Napoléon Ier par le bijoutier *Nitot,* ornée de camées très anciens; épée et poignard des grands-maîtres de l'ordre de Malte (XVIe s.).

Vitrine 5. Pierres de couleurs, jaspes, lapislazuli, améthystes; on remarque particulièrement le *Christ à la colonne** et une grande nef de lapis-lazuli surmontée d'un Neptune d'argent doré.

Vitrine 6. Les *joyaux de la Couronne****. Les pierres exposées ici sont les restes du trésor commencé par François Ier, accru par les rois de France, en partie pillé pendant la Révolution, puis vendu en 1887. Les plus précieuses ont été conservées. Ce sont : *le Régent,* diamant très pur de 137 carats, acheté par le Régent en 1717 pour deux millions cinq cent mille livres (il fut évalué douze millions en 1791); le rubis Côte de Bretagne, qui avait appartenu à Marguerite de Foix et entra dans les collections de la Couronne par le mariage de sa fille Anne de Bretagne avec Charles VIII (du poids de 200 carats, il fut réduit à 105 carats après avoir été taillé en forme de dragon par *Jacques Guay* au XVIIIe s. pour la décoration de la Toison d'Or de Louis XV); le Diamant Hortensia, diamant rose à cinq pans, de 20 carats, acquis par Louis XIV; le diamant le Sancy, aliéné en 1792, racheté par l'État en 1976; la broche-reliquaire composée par *Alfred Bapst,* en 1855, pour l'impératrice Eugénie; plaque de l'ordre du Saint-Esprit, en diamants, offerte par Louis XV à son gendre, le duc de Parme (vers 1750, acquise en 1951); montre du dey d'Alger; parure de diamants et saphirs ayant appartenu à la reine Hortense; paire de bracelets en rubis et brillants exécutés pour la duchesse d'Angoulême en 1816; paire de pendants d'oreille de l'impératrice Joséphine; couronne de l'impératrice Eugénie (1855).

Au centre : table en mosaïque de marbre exécutée aux Gobelins, vers 1680, au chiffre de Louis XIV, pied exécuté en 1873. Entre les fenêtres, table en mosaïque de marbre, exécutée aux Gobelins vers 1680.

Vitrines murales *(en partant de l'extrémité de la galerie).* Vitrine 1 : parure de la reine Arnegonde (vers 570), trouvée à Saint-Denis; trésor de l'abbaye de Saint-Denis, comprenant un *vase en porphyre**** antique monté en argent doré en forme d'aigle (XIIe s.); patène en serpentine antique, montée en orfèvrerie au VIIIe s.; vase antique de sardoine, monté en forme d'aiguière (XIIe s.); aiguière en cristal de roche (Égypte, Xe s.). Vitrine 2, trésor de l'abbaye de Saint-Denis (suite) : sceptre (XIVe s.), épée (XIe s.) et main de justice (X[e] et XIe s.) des rois de France; bague dite de Saint Louis (XIVe s.); agrafe (XIIIe-XIVe s.); *Vierge à l'Enfant***, statue-reliquaire offerte par la reine Jeanne d'Évreux à l'abbaye de Saint-Denis en 1339. Vitrine 3, choix des plus remarquables tabatières et étuis du musée du Louvre. Vitrines 4 et 5, éléments anciens du *trésor de l'ordre du Saint-Esprit*** : ciboire et paire de flambeaux en cristal de roche monté en orfèvrerie (France, XVIe s.); anges-reliquaires.

INDEX

INDEX DES NOMS DE LIEUX

INDEX DES NOMS DE PERSONNES

Imprimé en France par Ouest Impressions Oberthur
Dépôt légal n° 6873-4-1990 - Collection 30 - Édition 01
Imprimeur n° 10618
ISBN 2.01.015864.4 24/1526/3